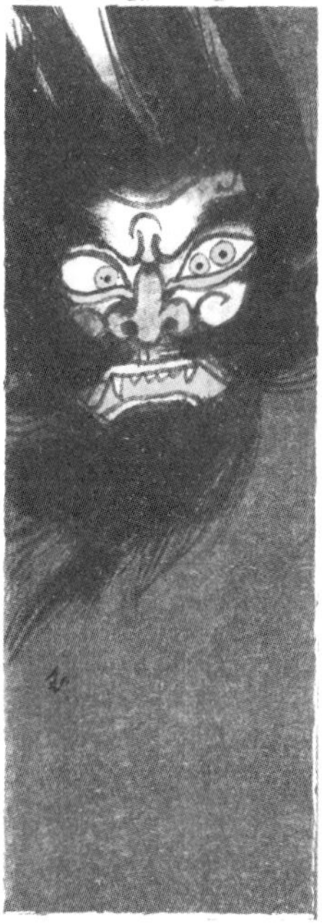

陰陽師

瀧夜叉姬（下）

陰陽師系列

第十部

夢枕獏——著
茂呂美耶——譯

新版推薦序

伴隨《陰陽師》系列小說十五年有感

承接《陰陽師》系列小說的編輯來信通知，明年一月初將出版重新包裝的第一部《陰陽師》，並邀我寫一篇序文。

收到電郵那時，我正在進行第十七部《陰陽師螢火卷》的翻譯工作，而且，由於晴明和博雅這兩人拖拖拉拉了將近三十年的曖昧關係（中文繁體版則爲十五年），終於有了一小步進展，令我陷入興奮狀態，於是立即回信答應寫序文。因爲我很想在序文中向某些初期老粉絲報告：「喂喂喂，大家快看過來，我們的傻博雅總算開竅了啦！」

其實，我並非喜歡閱讀ＢＬ（男男愛情）小說或漫畫的腐女，《陰陽師》也並非ＢＬ小說，但是，我記得十多年前，曾經在網站留言版和一些《陰陽師》死忠粉絲，針對晴明和博雅之間的曖昧感情，嬉笑怒罵地聊得鼓樂喧天，好不熱鬧。

說實在的，比起正宗ＢＬ小說，《陰陽師》的耽美度其實並不高。就我個人觀點而言，這部系列小說的主要成分是「借妖鬼話人心」，講述的是善變的人心，無常的人生。可是，某些讀者，例如我，經常在晴明和博雅的對話中，敏感地聞出濃厚的ＢＬ味道，並為了他們那若隱若現，或者說，半遮半掩的愛意表達方式，時而抿嘴偷笑，時而暗暗奸笑。

身為譯者的我，有時會為了該如何將兩人對話中的那股濃濃愛意，翻譯得不露骨，但又不能含糊帶過的問題，折騰得三餐都以飯糰或茶泡飯草草果腹，甚至一句話要改十遍以上。太露骨，沒品；太含蓄，無味。所幸，這種對話不是很多。是的，直至第十六部《陰陽師蒼猴卷》為止，這種對話確實不多。

然而，我萬萬沒想到，到了第十七部《陰陽師螢火卷》，竟然出現了令我情不自禁大喊「喂喂，博雅，你這樣調情，可以嗎？」的對話！不過，請非腐族讀者放心，這種對話依舊不是很多，況且，說不定我們那個憨厚的傻博雅，不明白自己說的那些話其實是一種調情。而能塑造出讓讀者感覺「明明在調情，但調情者或許不明白自己在調情」的情節的小說家夢枕大師，更令人起敬。

話說回來，不論以讀者身分或譯者身分來看，《陰陽師》系列小說最吸引我的場景，均是晴明宅邸庭院。那庭院，看似雜亂無章，卻隨著季節交替輪換而自有一番情韻。倘若我在進行翻譯工作時的季節，恰好與小說中的季節相符，我會翻譯得特別來勁，畢竟晴明庭院中那些常見的花草，以及，夏天吵得不可開交的蟬鳴和秋天唱得不可名狀的夜蟲，我家院子都有。只是，我家院子的規模小了許多，大概僅有晴明宅邸庭院的百分或千分之一吧。

爲了寫這篇序文，我翻出《陰陽師飛天卷》、《陰陽師付喪神卷》、《陰陽師鳳凰卷》等早期的作品，重新閱讀。不僅讀得津津有味，甚至讀得久違多年在床上迎來深秋某日清晨的第一道曙光。

此外，我也很佩服當年的自己，竟然能把小說中那些和歌翻譯得那麼美。不是我在自吹自擂，是眞的。我跟夢枕大師一樣，都忘了早期那些作品的故事內容，重讀舊作時，我眞的在文字中看到當年爲了翻譯和歌，夜夜在書桌前和古籍資料搏鬥的自己的身影。啊，畢竟那時還年輕，身子經得起通宵熬夜的摧殘，大腦也耐得住古文和歌的折磨。如今已經不行了，都盡量在夜晚十點上床，十一點便關燈。因爲我在明年的生日那天，要穿大紅色的「還曆祝著」（紅色帽子、紅色背心），慶祝自己的人生回到起點，得以重新再活一次。

如果情況允許，我希望能夠一直擔任《陰陽師》系列小說的譯者，更希望在我穿上大紅色背心之後的每個春夏秋冬，仍可以自由自在穿梭於晴明宅邸庭院。

茂呂美耶

於二〇一七年十一月某個深秋之夜

目錄

卷十　俵藤太

一

「原來如此。」安倍晴明點點頭，「在東國曾發生那種事？」

「嗯。」頷首回答的是藤原秀鄉——俵藤太。

源博雅坐在晴明一旁。

此處是俵藤太宅邸。

晴明和博雅不久前來訪，問了種種有關二十年前藤太在東國與平將門交戰之事。

此刻，藤太的長故事正告一段落。

造訪藤太的晴明和博雅先聽藤太說幾天前遭盜賊侵襲一事，之後再問二十年前他與平將門之間的事。

「將門大人被砍下頭顱後，頭顱仍活著，而且還說話的傳聞，果然是眞的嗎？」晴明道。

「眞的。」藤太點頭。

「據說那頭顱消失了？」

「嗯。」

「您知道那頭顱的下落嗎？」

「不知道。」

「我聽說自京城往東飛，落在坂東之地……」

「這點其實不清楚。」

「您是說，不是落在坂東之地？」

「雖有各種傳聞，但別說是坂東，就連頭顱到底飛向哪，是否眞的飛至空中，老實說都不清楚。」

說畢，藤太似乎想起某事，望向晴明和博雅。

「噢，對了。」

「什麼事？」

「頭顱的事。」

「將門大人的事？」

「不，不是將門頭顱。是關於和將門頭顱一起懸首示眾一段日子的興世王頭顱。」

「有問題嗎？」

「雖不能聲張，但現在說出來應該無所謂吧。」

「是。」

「有人說，那頭顱不是興世王……」

「是哪位說的？」

「是源經基。」藤太說。

接著，藤太開始說起。

二

愈怕愈想看。

源經基聽說在鴨川灘邊懸首示眾的將門頭顱會說話時，起初認為不可能，繼而又認為很有可能。

若是那個將門的話……

如果是那個全身如鐵，有著雙瞳的將門，也許有可能。

不過，他起初不打算去看頭顱。因為太可怕了。

去看時，要是將門頭顱對他發出怨言，會令人受不了。

恐怕終生都會做惡夢。

可是，他又很在意。

只要遮起臉來，不讓對方知道是自己，再變裝去不就可以？

他如此想，結果終於去了。

他帶著三名隨從搭牛車到中途，之後徒步。
他用布遮住臉。將縫成袋狀的布戴在頭上，只露出雙眼。
是他爲此命下人縫的。
四人自堤岸走下河灘，四周不見任何人。大家都懼怕會說話的將門頭顱而不來觀看。
河灘有座約三尺高的木臺，上面擱著幾顆頭顱。
哪個是將門頭顱？
一看之下，每個頭顱眼睛都被鳥啄掉，雙頰的肉也被啄食，模樣變得很悽慘。
臺上寫著各個頭顱的名字。
藤原玄茂。
平將賴。
以及興世王。
看到興世王頭顱時——
「咦……」經基暗忖。
他覺得有點怪。
披頭散髮。只剩單隻眼。嘴巴。

似乎跟自己所認識的那位興世王有某些地方不同。

確實酷似。雖酷似，這個……

奇怪——

當他歪著頭時，中央那個頭顱突然睜大雙眼。

只有這頭顱沒被烏啄去眼睛，跟活人的頭顱一樣平安無事。

「經基，你總算來了……」那頭顱說。

正是將門的頭顱。

「哇！」

經基發出叫聲，往後跳開。隨從中也有人跌得屁股著地。

「即使你藏起臉來，我也知道。」

聽頭顱如此說，經基一句話也說不出來。

「你爲何害怕？我現在只剩頭顱，難道你怕只有頭顱的將門……」

經基想逃，腰卻無力，雙腿發軟無法動彈。

「將、將門大人。」

「仔細想來，是你向朝廷毀謗我和興世王……」

頭顱露出牙齒，不出聲笑著。

經基至此已忍無可忍。他撐著眾隨從的肩膀，逃離現場。

將門哈哈大笑聲自背後傳來。

「嗚——」

經基好不容易才發出悲鳴似的叫聲。

三

「接著，那天晚上，經基大人來找我。」藤太向晴明說，「經基大人很害怕，問我有沒有事，又問將門頭顱會不會作祟……」

「之後呢？」

「我說，不會作祟。即便作祟，我會用黃金丸砍倒他給您看，請您放心……我的話讓經基大人放下心來，但那時經基大人……」

「說了興世王頭顱的事？」

「嗯。」

「他怎麼說？」

「他說，在鴨河河灘懸首示眾的興世王頭顱，可能不是眞正的興世王。」

藤太說。

「秀鄉大人如何應對呢？」一直默不作聲的博雅開口詢問。

「這個，博雅大人……」藤太視線自晴明移至博雅說：「畢竟是長久和興世王一起行動的經基大人說的，不能置之不理，因此我偷偷轉告忠平大人和平公雅大人。」

「也告訴了平公雅大人？」

「當年在上總國和興世王軍交戰，打敗對方並砍下興世王頭顱的人，正是平公雅大人……」

「原來如此。」博雅點頭，「兩位大人怎麼說？」

「公雅大人說，那頭顱確實是興世王沒錯……」

「他確實這樣說嗎？」晴明問。

「是這樣說。他說，在興世王還未前往關東時便與他相識，他很熟悉興世王長相。」

「是。」

「這頭顱確實是興世王的──結果，事情就這麼定案。」

「之後就一直那樣？」

「嗯。」

「原來如此，所以昨天他沒說出這事。」晴明說。

「昨天？」藤太問。

「是。老實說，昨天我和博雅大人一起拜訪了源經基大人。」
「噢……」
「我問了很多有關興世王大人的事，但頭顱的事……」
「他沒說？」
「是。」
「他說了什麼？」
「他說，興世王大人有時會判若兩人……」
「判若兩人？」
「您聽過興世王大人在東國所做的事嗎？」
「嗯。」
「他說，興世王大人有時會做出那種殘酷行徑，有時只是默不作聲，不知道他到底有沒有在聽我們談話……」
「這麼一說，剛才所說那頭顱的事又令人在意起來了。」
「確是如此。」
「難道被砍下懸首示眾的是假的興世王頭顱……」
「他沒這樣說。」
「將門有六個替身。替身雖沒實體，但興世王或許有眞人替身……」

「是這樣嗎？」
「什麼意思？」
「再怎麼說，平公雅大人也說那頭顱確實是眞的吧？」
「是的。」
「這事可能還有更深的內情。」
「什麼內情？」
「目前還不清楚，不過遲早……」
「晴明，遲早就能清楚？」
「是，總有一天……」
晴明略微頷首，再度抬起臉望向藤太。
「可是，晴明，你昨天爲何到經基大人那兒？」藤太問。
「我聽說經基大人最近身體不適，也許我幫得上忙，因此前往拜訪。」
「就爲了這點？」
「您的意思是？」
「你坦白說，目的是不是跟來我這兒一樣？」
「是。」
「怪賊也到我這兒來了。」

「我也聽說了。」
「你正是認為那事跟二十年前的將門有關，今天才會來找上我吧？」
「您說得沒錯。」
「目前京城發生各種怪事。我總覺得每件事背後都可看到將門影子……」
「藤太大人和將門大人關係很深。」
「嗯。」藤太點頭。「是我用黃金丸砍下將門頭顱……」
藤太眼神變得朦朧深遠，歎了一口氣。
「已二十年了……」
「……」
「我跟那男人格外息息相通……」
「有彼此相互理解之處吧。」
「嗯，我很喜歡那男人……」
「您跟將門大人頭顱見面了嗎？」
「沒見面……」藤太喃喃自語，「我也認為該去見將門頭顱，聽他抱怨幾句……」
「頭顱卻消失了？」
「嗯。」

「頭顱消失在何處呢？」

「不知道。」藤太說，又望著晴明低聲自語，「晴明大人……我喜歡那男人。」

「是。」

「那男人可說救了我一命。」

「這話怎麼說？」

「假使將門不這麼做，說不定是我會做出跟將門同樣的事。」

「……」

「晴明大人，我現在雖住在京城，但我不大喜歡這地方。」

「……」

「京城大概不需要我這種人了。」藤太感慨良深地說。

四

「我真的什麼都說不出來。」博雅如此說時，人已坐在牛車內。

是告辭藤太宅邸的歸途中。

咕咚，咕咚。牛車輾著地面前進。

「晴明啊。」博雅說。

「博雅，什麼事？」

「秀鄉大人的事。」

秀鄉——亦即俵藤太。

「那樣傑出的人也會覺得寂寞吧。」

「嗯。」晴明低聲點頭。

「他說的是眞的嗎？」

「什麼意思？」

「他不是說，如果將門大人不做，他自己很可能做出跟將門大人同樣的事？」

「應該是眞的。」

「對秀鄉大人來說，現在的京城到底是什麼樣的京城呢？」

「什麼意思？」

「是無法讓他靜下心的地方了嗎？」

「我不知道。」

「我也不知道。」

「對你來說呢，博雅？」

「我？」

「嗯。」

「我怎麼了？」

「你喜歡這京城嗎？」

聽晴明如此問，博雅閉口不言。

博雅一直默不作聲，牛車咕咚、咕咚地踏著地面前進。

「到底怎樣，博雅？」晴明問。

「我不知道，晴明。」

「不知道嗎？」

「我只認識這京城。」博雅低聲說，「晴明，其實我不清楚其他地方的其他生活方式……」

「……」

「晴明，因此你問我覺得怎樣，我也不知該怎麼回答你。」博雅說。

「抱歉，博雅。」

「抱歉什麼？」

「問了無聊問題……」

「沒那回事。」博雅慌忙說，「暫且不管京城的事，晴明啊，對現在的

我而言，有件事值得感謝。」

「什麼事？」

「你。」

「我？」

「晴明，就是京城有你在……」

博雅用一種簡直過於愚直木訥的言詞說道。

瞬間，晴明答不上來。過一會兒，晴明說：「博雅啊。」

「什麼？」

「這種事，是不能用這麼直截了當的言語來形容的。」

「爲什麼？」

「這不是讓我無法回話嗎？」

「會令你傷腦筋？」

「傷腦筋。」

「活該。」博雅的聲音隱含欣喜。

「你有毛病。」

「我哪裡有毛病？」

「其實我也認爲京城並非那麼糟糕。」

「是嗎？」

「因爲有你在，博雅。」

「我嗎……」

「嗯。只要博雅在，至少不會覺得無聊。」

博雅浮出愉快笑容望著晴明。

「怎麼了？」

「沒事，算了。」

「什麼算了？」

「今天我不生氣。晴明，我是說，也原諒你那種說話方式……」

「博雅，今天的你特別難應付……」

「是嗎？」

「是的。」

「呵呵。」

「呵呵。」

如此持續著對話，牛車繼續前進。

「時間差不多了。」晴明低語了一句。

「什麼事情差不多了？」博雅問。

「博雅，我的意思是，差不多可以去打攪淨藏大人了。」
「要去嗎？」
「嗯，去。」
「什麼時候？」
「就這幾天。」晴明低語。

卷十 淨藏

一

兩個男人走在杉林裡。是上山的斜坡。
其中一人身高約六尺。胸肌雄厚。腰上佩著一把大長刀。
另一人雖沒此男人高大，身軀也很魁梧。
這男人蓬髮，頭上沒戴任何東西。身上穿的也是破爛衣服。
四周都是三個成人合力伸長雙手也無法環抱的粗杉樹。
樹齡超越千年的杉樹很多。
雖是白天，杉林內卻很陰暗。
頭頂上方伸展著杉樹樹梢，遮住陽光。
樹下則因陽光不足，叢生的雜草不多。
頂多有些山白竹，以及少數陽光灑落之處長著草而已。
空氣潮濕。夏天還未來臨。
山下只要出太陽便會感覺熱，但這杉樹林內並不怎麼熱。
杉樹林內充滿深山的冷空氣。
儘管如此，兩個男人背部仍微微出汗。
那似乎並非來自外部，而是他們肉體本身製造出的熱氣令他們出汗。

杉樹的粗樹根在地面蜿蜒起伏，岩石四處露出。

踏著岩石和樹根，兩人穿越杉樹林往山上走。

蓬髮男人走在前面。

「將門大人，這兒走。」

蓬髮男人向跟在後方的高大男人說。

說話時，他未停步，也不回頭，繼續往前走。

「唔。」

被稱爲將門的男人以低沉響亮的聲音回應，趕上走在前面的男人。

不久——

「噢，是這兒。」男人說。

那是個草叢高得近腰的地方。

男人用膝蓋撥開草叢往前走。將門跟在後面。

樹林豁然開朗。可望見天空。將近夏天的青空，白雲飄移。

龐大岩石往上空聳立。

男人攀上岩石。將門隨後。兩人並立在大岩石上。

「將門大人，請看。」男人用手指示意。

眼下是一片廣闊綠色原野。風景宛如大海。

山麓在青空下起伏伸展，山麓前可見京城。
「好大……」將門首次開口說的正是這句話。
「那就是京城。」男人指的是京城。
連遠方教王護國寺①的五重塔看起來也很小。
「將門大人，怎樣？」男人說：「你想不想要那個？」
「那個？」將門問。
「京城。」男人說。
「京城？」
「就是天下。」男人話語很短。
「天下嗎？」
「我想要。」男人說。一副只要想要便可得手般的語調。
「那麼，你去搶不就行了？」
「將門大人呢？」
「我不要京城。」
「不要？」
「似乎很拘束。」
「那是目前的京城拘束而已。」

①位於京都市南區九条町，又名「東寺」，目前已被列入世界遺產之一。

「嗯。」

「到手後，你再改造成不拘束的京城不就好了？」

「說的也是。」將門說畢，又爽快地說：「可是，算了。」

「爲什麼？」

「太麻煩。」

「麻煩？」

「搶京城和改造不拘束的京城，兩件事都很麻煩。首先，世上怎麼可能有不拘束的京城？」

「有道理。」

兩人笑出來。

「不過，這京城會成爲你在東國自由奔馳的絆腳石。」

「……」

「要不要跟我一起搶？」

「搶京城？」

「搶天下。」

「天下嗎？」

「你在東方舉兵。」

「……」
「我在西方舉兵。」
「這樣就可以搶得天下？」
「可以。」
「是嗎？」
「將門啊，你來當天子。」
「我當天子？」
「是的。」
「你爲什麼不當？」
「我沒法收攬人心。」
「人心？」
「你可以收攬人心。」
「那你怎麼辦？」
「我來當關白。」
「關白嗎？」
「讓你當天子，我當關白，可以建造出很厲害的國家。」
「眞的？」

「真的。」

「好像很有趣。」

「幹不幹？」

「這個……」

將門在岩石上大大伸個懶腰。風很舒服。已不再出汗。

此時——

「嗯?!」男人發出低語。

男人蓬髮隨風搖晃，似在窺視四周，移動視線。

「怎麼了？」將門問。

「有人的動靜。」

「人的動靜？」

「你沒察覺？」

「嗯，沒察覺。」將門說。

可是，男人依舊沒解除緊張。他微微放低身子，一副仍窺視四周的模樣。

「別在意，這兒沒人。」將門說，「即便有人，也無所謂吧……」

「對方或許聽到我們剛才的話。」

「就算聽到了，那又會怎樣？」

「怎麼說？」

「那只是夢想。」

「不是夢想。」

「那麼，你一人努力吧。」

「你呢？」

「不知道。」

「將門，聽好，人都有各自的任務。」

「任務？」

「可說是與生俱來的。」

「你是說天命？」

「也可這樣說。」

「那又怎麼了？」

「無論你願不願意，你那與生俱來的東西，會吸引人們聚集在你四周，促使你行動。」

「是這樣嗎？」

「日後你就可以理解。」

「眞的？」

「嗯，時機成熟的話。」

「是嗎？」將門爽快地點頭。「若是這樣，那也好。若是這種命運，我不會抵抗。」

「這可是你說的？」

「是。」

「你要記得你這句話，將門。」

「我會忘掉。」

「忘掉？」

「即便我忘了，若是命運，遲早會走上這條路吧？」

「嗯。」

「那麼，不也是可以忘掉？」

「有道理。」

兩人再度笑出聲。

自京城方向吹來的風奔馳過廣闊山麓，從山下吹上來，令兩人頭髮朝天飄揚。

那風，將兩人的汗滴與聲音送向上空。

「很舒服。」

「嗯。」

兩人再度笑了。

二

淨藏生於寬平三年（八九一年），是三善清行②第八個孩子。

母親是嵯峨天皇③孫女。

據說，這母親某天做了個夢。

夢中，自上空降下一位天人，入母親懷中。正是此時懷了淨藏。

> 年及二、三歲，性甚岐嶷。

《拾遺往生傳》如此記載。

意思是說，二、三歲起便很聰明，比別人傑出。

四歲時，可以讀寫千字文，七歲時已很喜歡出入寺院。

父親清行也是位精通陰陽祕訣的人物，某天，爲試探兒子淨藏，他說：

---

②三善清行，八四七—九一九年，平安時期漢學者。

③日本第五十二代天皇，八〇九—八二三年在位。

「你現在顯現靈感力看看。」

時值正月。院子白梅剛開花。

淨藏雖是孩子，卻已會施術，他命護法童子折下白梅樹枝。

「明明開得好好的花……」

據說清行大怒，那以後便不再試探兒子能力。

之後，淨藏開始來往他感興趣的熊野④和金峰山⑤靈窟神洞，最後終於遍歷群山。

十二歲時，登比叡山，受戒成爲玄昭和尚的弟子。

同樣在十二歲時，淨藏與禪定法皇（即宇多天皇）⑥在行幸時相遇。以此爲緣，淨藏成爲宇多天皇的佛門弟子。

在叡山，除了玄昭，淨藏也跟隨大慧和尚學了悉曇⑦。

菅原道眞的怨靈曾經出現附在藤原時平身上。

這時，正是淨藏施行咒法降伏了道眞。

據說，此咒法令時平的雙耳各爬出一條青龍。

延喜十八年（九一八年）——

淨藏到熊野參拜時做了個夢。他夢見父親清行過世。

淨藏急忙回京城，得知清行已於五天前病逝。

---

④指和歌山縣、三重縣等紀伊半島一帶。自古便以「熊野三山」聖地知名。

⑤位於奈良縣，為日本修驗道（山岳信仰）重地。

⑥日本第五十九代天皇，八八七—八九七年在位。

⑦悉曇，即梵語。

「我還沒向父親道別……」

淨藏當場加持念咒後，清行死而復生了。

據說兩人彼此話別，而且清行還向淨藏交代自己身後之事，並指示各種身邊瑣事，七天後再度過世。

此外——

南院親王⑧駕崩時，淨藏施行火界咒法⑨讓親王復生。親王也同樣整理了各種身邊瑣事，四天後再度過世。

又——

朱雀天皇⑩患上大病時，也是淨藏加持念咒令天皇痊癒。

「只是，明年會發生火災。」淨藏如此說。

果然翌年發生火災，燒毀了柏梁殿。

淨藏預言了眾人的死和災害，屢屢說中。

此外——

天曆年間，淨藏入八坂寺⑪。

「塔傾斜了。」淨藏說。

八坂之塔確實傾向乾位⑫，看上去即將倒塌。

「是。約六年前開始傾斜，逐年益發傾得厲害，目前隨時都可能倒塌。」

---

⑧日本第五十八代天皇光孝天皇之子，又稱為「是忠親王」。

⑨不動明王真言之一，又稱「不動明王火界咒」、「不動明王大咒」。

⑩日本第六十一代天皇，九三〇—九四六年在位。

⑪即今京都法觀寺，以八坂之塔聞名。

⑫西北方。

寺院和尚說。

「正是好機會，我來修復。」

「那眞是求之不得。我們應該準備什麼道具和多少人？」

寺院和尚以爲淨藏打算動用人工修復塔。

「毋需道具也不需人。」淨藏說。

淨藏到院子拾起一根落在地面的小樹枝。

「看吧。」

他隨意坐在地面，將小樹枝筆直插在地面。

小樹枝對面正是傾斜的塔。

淨藏加持念咒了一會兒。

「這樣應該可以了吧。」

淨藏站起身，回自己房間就寢。

那晚，突然自乾位吹來微風，吹了整個晚上。

而且那陣風竟吹直傾斜的塔。

翌日早晨，據說眾人看到筆直的塔時均大吃一驚。

此外，有一晚——

十幾個強盜闖入八坂寺。

淨藏不慌不忙，向強盜大喝一聲。

結果強盜當場如樹木般僵立原地。

「別管他們。」淨藏吩咐寺院和尚，逕自就寢。

據說隔天早上，淨藏解放眾強盜，他們向淨藏伏地叩拜，合掌後才離去。

又有一次——

空也上人⑬在六波羅蜜寺⑭進行金字《大般若經》⑮法事。

這時，淨藏也並列高僧之座。

當時聚集了眾多乞丐和比丘，達數百人。

淨藏望著這些人，看到一位比丘，大吃一驚說：

「那位大人，請過來。」

他請那比丘坐在上座，並給他一碗飯。

比丘默不作聲吃了。又添了一碗，他依舊默不作聲吃了。

比丘回去後，寺院和尚發現那比丘本應已吃下的飯，竟全部留在碗內。

「那是何方人物？」寺院和尚於事後問。

「是文殊⑯的化身。」淨藏若無其事地回答。

據說寺院眾和尚均嚇了一跳。

---

⑬據聞為日本第六十代天皇醍醐天皇第二皇子。

⑭位於今京都，西元九五一年空也上人創立。寺內藏有空也上人立像，為日本重要文化財。

⑮佛經之一，全稱為「大般若波羅蜜多經」，共六百卷。

⑯即文殊菩薩。

凡是顯密、悉曇、管弦、天文、易學、卜筮、教化、醫學、修驗、陀羅尼⑰、樂曲、文章、藝能，均拔萃出群。

《拾遺往生傳》如此記載。

淨藏，是位天才。

三

晴明和博雅沿石階而上。

剛冒出的嫩葉遮罩在兩人頭上。

從嫩葉間灑下的陽光，在石階上形成散亂斑點。

踩著那亮光，晴明和博雅登上石階。

牛車停在石階下，隨從也在此等待，只有兩人登至此處。

眼前可見山門。懸在山門上的寺額寫著「雲居寺」。

「可是，晴明，這樣突然來訪，不知淨藏大人在不在？」博雅踏著石階說。

⑰佛教與印度教中，據說具有靈驗的語句。或譯為「總持」。

「一定在。」晴明說，「我們並非突然來的。」

「你送信了？」

「我命跳蟲來通知。」晴明搖頭說。

跳蟲是晴明的式神。

本來是住在嵯峨野遍照寺廣澤池的蟾蜍，晴明請寬朝僧正送給他當式神。

「有回答嗎？」

「沒有。」

「沒有？」

「雖沒有，但等於叫我們來。若不希望我們來，應該會說什麼吧。既然淨藏大人知道我們要來，或許會準備些什麼花招。」

「花招？」

「嗯。」晴明點頭駐足。

正好抵達山門前。大門敞開。

「進去吧。」晴明說。

「嗯。」博雅點頭跨出腳步。

結果——

「噢?!」博雅叫出聲。

應該往前跨出腳步的博雅竟沒前進，仍站在原地。

「發生什麼事？」博雅說著又跨出腳步。

再度發生同樣事。

博雅無法前進，依舊站在原地。

他無法穿過山門。

山門下——地面上橫躺著一根粗木材。

博雅想跨過那木材穿過山門，卻無法跨過那木材。

晴明無言望著無法穿過山門而進退兩難的博雅。

「晴明，這到底怎麼回事……」

「這表示我們即將到訪的通知確實送到了。」

「什麼意思？」

「我不是說過可能有什麼花招嗎？」

「這就是花招？」

「嗯。」

「依我看，淨藏大人好像說任何人都不能進這山門。」

「除了我以外。」

「除了你以外？」
「淨藏大人是說，今天不見安倍晴明以外的人。」
「什麼？」
「等等，博雅。」
晴明伸出手臂，蹲下，用右手指貼在粗木材上，口中小聲念咒。
「這樣就行了。」晴明站起身。
「可以怎樣？」
「就是說門開了。」
晴明跨出腳步，跨過木材，穿過山門。
「喂、喂！晴明。」博雅追在晴明身後。這回博雅也可以穿過山門。
「這……」博雅回頭仰望山門。
晴明頭也不回地說：「博雅，淨藏大人似乎等得不耐煩了。」
說畢，往前走去。

四

晴明和博雅在狹小的方丈室裡與淨藏相對而坐。

這是淨藏起居的私人房間。
那方丈室簡樸得令人情不自禁想說——沒想到淨藏這般高僧竟住在這種地方。
若在中央睡成「大」字，只要往左右翻身，一伸手便能觸及牆壁。
房間角落有張小書桌，上面擱著三卷卷子和一座十一面觀音菩薩小木雕像。
淨藏背對那小書桌而坐。
淨藏左側——對晴明和博雅來說是右側，雲居寺的庭院沐浴在陽光之下。
延伸出院子的窄廊，可見幾隻麻雀在玩耍。
「我正在想，你們應該快來了。」淨藏說。
頭髮剃得很光。白眉。眼角和嘴角都有著柔和的皺紋。
眼睛細得幾乎看成是皺紋。那眼睛看似經常在笑。
「你似乎已明白很多事。」
「是。」
「大駕光臨，我覺得很高興。」淨藏很謙遜。
也可以說是恭敬，對晴明說話的態度也謙恭有禮。

「我想請問您一件事。」晴明說。

「什麼事？」

「這回的事，是淨藏大人的指示嗎？」

「這回的事？」

「我是指賀茂保憲大人到我那兒，要我調查最近京城發生的種種事。」

「我沒指示保憲大人任何事。只是，有件事很在意，曾和保憲大人談過。保憲大人的看法和我一樣。」

「所以要我調查？」

「是的。我和保憲大人都不擅長走動，不知該怎麼辦時，他說找晴明大人比較好……」

「是保憲大人說的？」

「是。」

「淨藏大人的看法和保憲大人一樣嗎？」

「是。」

「保憲大人和淨藏大人認爲怎樣呢？」

「這不是我該說出口的事。保憲大人不是已向你說了什麼嗎？」

「他要我自己調查，若有什麼看法再說給他聽……」

「是。」

「他說，倘若我的看法和他一樣，那這事便錯不了。」

「這事？」

「保憲大人沒明白說……」

「而你目前已推斷出了……」

「是。」這回是晴明點頭。

「那，這事指的是什麼？」淨藏問。

「如果目前發生的事跟我推斷的內容一樣，不久京城會陷入危境吧。」

「會吧。」淨藏點頭，又問：「是什麼樣的困境？」

晴明沒回答，只是微笑。反而問了其他事：

「將門大人那騷動，是二十年前的事嗎？」

「是。」

「之後，發生了幾件怪事……」

「的確是。」

「首先，將門大人的頭顱自懸首示眾的鴨川河灘消失……」

「是。」

「約在頭顱消失之後吧，各別埋在關東八州的將門大人身軀也遭竊。」

「是。」
「目前仍不知下落。」
「似乎是如此。」
「可是，淨藏大人應該知道某些事吧？」晴明問。
「爲何這樣認爲？」
「第一件事是小野好古大人。」
「噢，好古大人。」
「您聽說了怪女子盜賊闖入小野好古大人宅邸那事嗎？」
「嗯。」
「據說，那女子問好古大人，雲居寺有託他保管什麼東西？」
「似乎如此。」
「提到雲居寺，正是淨藏大人。您有線索嗎？」
淨藏年輕時在叡山修行，之後移到八坂寺，現在身處東山雲居寺。
「有。」
「什麼線索？」
「大概是十九年前的事了。我曾託他保管約這麼大的絲綢袋子，裡面裝護摩壇的灰。」

「灰？」

「唔。」

「那灰是不是跟這回的事有關？」

「有關。」

「什麼關係？」

「在這之前，晴明大人，能不能先說說你的看法？還有其餘理由令你認為我可能明白某些事嗎……」

「有。」

「噢？」

「二十年前……將門大人頭顱消失時，俵藤太大人是不是曾來找淨藏大人？」

「確實來了。」

「他是不是來問您，能不能藉法力尋出頭顱下落？」

「嗯。」

「您當時是不是向藤太大人說……別管那頭顱，不用擔心。」

「正是。」淨藏不否認地點頭。

他和晴明對望。晴明邊看著淨藏的表情，說了出人意表的事：

「淨藏大人是不是對將門大人頭顱動了什麼手腳？」

「喂、喂，晴明，你說什麼……」

到此爲止，始終在晴明身旁默默聽兩人對話的博雅，情不自禁叫出聲。

但是，晴明沒回答，只望著淨藏。

而淨藏也無言地盯著晴明的臉。

晴明的紅脣浮出微笑。淨藏那雙細長眼睛看似也在笑。

不久——

「是我偷了將門頭顱……」淨藏低語。

「什麼?!」博雅大叫出來。

晴明似乎預料到博雅的反應，主動閉嘴。

「爲何這麼做？」博雅問淨藏。

「因那頭顱不該存在這世上。」淨藏回答。

淨藏的語調變了。

「只剩頭顱，仍不會死。只剩頭顱，仍在說話、怨恨、叫嚷……」

「……」

「那將門，不是這世上的人。死後，若成爲靈，倒還有辦法對付。活著而成爲生靈，也有辦法對付。可是，對那將門，一般法術沒效。」淨藏說。

晴明默默地聽著淨藏的話。

博雅此刻也默不作聲傾聽。

「算算，應該是二十五、六年前的事了……」

淨藏似乎回想起某事般閉上雙眼。

「事情發生於我在叡山修行時。我在山中打坐，漫遊三昧境地⑱時，兩個男人爬上叡山。因我始終在打坐，我看不見他們的臉。我聽到那兩個男人的談話聲。之一正是將門大人……」

淨藏在此似乎加強口氣般改變語調。

「另一人呢？」晴明問。

「不知道。那男人稱另一人爲將門，我才知道是將門大人，但將門大人直至最後都沒呼叫那男人名字……我只是聽到他們的談話內容。」

「什麼內容？」

「那不知名的男人問將門大人，要不要毀滅京城，重新建造新京城？」

「新京城？」

「唔。」

「將門大人怎麼說？」

「他說京城太麻煩……」

---

⑱佛教徒靜思入定的初級境界，主要是靜下心來。

「麻煩？」

「將門大人說，不喜歡麻煩事……」

「另一人呢？」

「說讓將門當天子，自己當攝政關白。」

「……」

「我那時認爲……是戲言。可是，令我在意的是……」

「是什麼？」

「那無名的男人，察覺自三昧境地歸來的我的存在。」

「淨藏大人的存在……」

「那時事情就此結束，但我很在意那男人。儘管如此，過一陣子我便忘了這事，數年後，再不願意也讓我想起此事。」

「因發生將門大人之亂？」

「嗯。」

「因此您在俵藤太大人的箭上施咒……」

「是的。」

「可是，您在意的是另一個男人？」

「是的。」

「您聽過經基大人說的話嗎？」
「是說興世王頭顱不是本人？」
「是。」
「可是，平公雅大人說那頭顱確實是興世王……」
「聽說是如此。」
「晴明，難道你對於這點有什麼看法？」
「我的看法跟淨藏大人一樣……」
「跟我一樣嗎……」
「是。」晴明點頭微笑。
淨藏也浮出微笑。
「晴明……」淨藏說。
「是。」
「剛才提到的灰……」
淨藏說到此停住嘴，似在觀察晴明和博雅的樣子，更瞇起細長雙眼望著兩人。
「那是將門頭顱燒成的灰。」
「什麼？」

聽了這句話，晴明也情不自禁叫出聲。

五

那不是普通頭顱。是將門頭顱。

淨藏將頭顱擱在護摩壇內，四周架起松木。

松木油多，火力也強。

淨藏獨自做了此事。寺院裡沒人知道此事。

淨藏只讓寺院和尚搬木材到佛堂前，之後所有事都親自動手。

「淨藏，你想幹什麼？」

將門頭顱擱在護摩壇內，仍在說話。

「是你在那根箭上施咒吧？」

一直說話的將門頭顱知道自己將會受何種對待時，如此說：

「有趣，燒得起來，你就燒燒看。」

點火。

將門的頭髮立即在火焰中燃燒起來。

然而，燒起來後，馬上又撲哧撲哧長出新頭髮。

一長出，頭髮就再度燃燒，發出青色火焰。
接著又撲哧撲哧長出新頭髮。
再度燃燒。
將門頭顱在火焰中一直哈哈大笑。
「淨藏，我的頭顱怎麼可能燒得掉？」將門說。
第一天——
燒掉擱在佛堂外的所有木材，仍未燒到將門頭顱。
淨藏不眠不休持續燒木材。
邊燃燒，口中邊念不動明王咒，向大威德明王祈禱。
並一同燒了寫上各種咒文的護摩木。
「唔……」
「唔……」
第三天起，將門頭顱才發出這種聲音。
「熱呀。」
「熱呀。」
第五天起，發出如此叫聲。
可是，頭顱依舊沒燒起來。

「燒吧，再添木材！」

第七天，頭顱如此大叫。

「噢！」

「噢！」

第九天，開始發出叫聲。

「啊……」

聽到此叫聲時，淨藏抬臉一看，發現火焰中的將門頭顱，額頭正冒出水泡。

額頭的肉開始煮熟。臉上也浮出許多水泡。

「哇……」

「喀……」

半個月後，發出如此叫聲。

臉上的肉咕嘟咕嘟地煮開。

二十天後，眼珠煮熟，變成濁白。

「喀！」

「喀！」

將門大叫，頭顱在火焰中左右搖晃。

一個月後，臉已燒得幾乎分辨不出容貌。

油脂滴落火焰，更加強火勢。

最後肉都掉落，只剩頭蓋骨時，是一個半月後——

儘管如此，將門仍在咬牙切齒。

這期間，淨藏幾乎都沒睡覺。糞尿也當場任其排泄。

只要稍微停歇，頭顱便打算自火焰中滾出。

有次只稍微打了個盹兒，將門頭顱就爬出來咬住淨藏衣服下襬，打算將淨藏也拉進火中。

一天只睡三次。

但每次都只睡了呼吸二、三次的時間而已。

就這樣支撐一整天。

其間，只吃乾飯和水。一旁擱著缽，內盛乾飯。

咬著乾飯，吃完時，淨藏將缽丟至佛堂外。

那缽回來時，缽內已盛著乾飯。

想喝水時，照樣將缽丟至佛堂外。

飛至空中的缽會下到谷底，汲水後又回來。

淨藏再喝那水。

可是，淨藏還是逐漸消瘦。

兩個月後——

因佛堂內格外安靜，寺內和尚戰戰兢兢進去一看，發現淨藏只剩皮包骨躺在護摩壇前，呼嚕打鼾睡著。

護摩壇火焰已滅，僅餘燒得通紅的小小炭火。

之後，淨藏持續睡了十天。

六

「眞是駭人的事……」晴明說。

「靈魂差點消失殆盡……」淨藏徐徐說，「那時我才初次明白，至今爲止到底爲何修行、自己爲何活在這世上……」

「……」

「大概正是爲此事而來到人世，爲此事而活到今日吧。」淨藏感慨良深地自語。

「好可憐……」源博雅低語。

一看，博雅雙眼正流下眼淚。

「博雅……」

「好可憐，太可憐了……」博雅說，「一定很熱吧。一定很痛苦吧。而他大概另有比那熱，比那痛苦更難受之事……」

博雅似乎切身感到將門的痛苦。

「到底是什麼事令將門大人變成如此妖鬼……」

聽博雅這樣說，淨藏無言點頭。

「將門大人的頭顱，不能那樣置之不理……」淨藏低聲道，「正如晴明大人所說，俵藤太大人可能有什麼看法才來找我吧。」

「……」

「我本來想坦白告訴藤太大人此事，但又想到他跟將門大人交情很好，因此總說不出我花了兩個月燒了頭顱……」

「那灰呢？」晴明問。

「失竊了。」

「失竊？」

「我熟睡那期間，似乎有人自護摩壇爐內偷走……」

「什麼？」

「醒來後，我到爐前查看，發現爐內的灰比我預想的要少。問了寺院和尙，據說沒人動過爐內的灰。只能斷定是被偷了。」

「之後呢？」

「我馬上把剩下的灰丟進鴨川。剛才也說了，只留下一部分，不放在寺院也不向任何人說，交好古大人保管。」

「爲什麼？」

「因我聽聞埋在關東八州各處的將門大人手足和身體都失竊。爲了不讓別人分辨出將門大人的手足，本來混雜其餘屍體手足一起分埋各地，但全失竊了……」

「原來如此。」

「晴明，你明白此中意義嗎？」

「是。」晴明點頭，「不過，也有不明白之處。」

「何處？」

「您託好古大人保管的將門大人頭顱灰，好古大人不是向盜賊說不知嗎？」

「老實說，我不是託好古大人保管……」

「可是，您剛才說託小野大人……」

晴明說到此，淨藏即說：「等等，晴明。」

語調變了。
「這事，待會兒再說。」
「說的也是。」晴明點頭。
淨藏和晴明彼此相望。
「那傢伙相當有能力。」
「是的，相當有能力。」晴明再度點頭。
「我也太粗心了。應該早點察覺此事。」淨藏望向院子。
晴明也同樣望向院子。
窄廊彼方，可見沐浴在明亮陽光下的雲居寺庭院。
「晴明，什麼意思？怎麼了？」博雅問。
「您看那邊，博雅大人……」晴明說。
博雅望向院子。
「什麼？望院子就知道了嗎？」
「不是。再前面一點，窄廊那地方……」
「窄廊？」
「窄廊上不是擱著什麼嗎？」
博雅仔細望著窄廊，果然上面有個小小的黑色圓形物體。

之前在窄廊玩耍的麻雀已失去蹤影。
「那是？」
「方纔其中一隻麻雀銜至此的嗎？」
「是什麼？」
「田螺。」
原來如此。聽晴明這樣說，仔細一看，果然酷似田螺。
「你不過來嗎？」淨藏對著田螺說。
「想聽，到這兒來聽吧。」淨藏再度說。
咯、咯、咯，窄廊上的田螺響起一陣低沉笑聲。
博雅嚇一跳，田螺又發出人聲：「那麼，吾人就去。」
接著——
明亮的庭院裡，只那兒罩上陰影般地慢條斯理出現個男人身姿。
一頭蓬亂白髮。發出黃色亮光的眼眸。
有個身穿破爛水干的赤足老人站在該處。
是蘆屋道滿。
「淨藏，久違了……」道滿說。
他右手貼在耳上。鬆開右手隨意晃了一下。

道滿右手握著的黑石般東西，飛向半空，落在方丈室地板上，停在博雅膝前。

是田螺。

「這是?!」博雅伸手拾起，很輕。

裡面沒肉。是田螺殼。

「道滿大人用那田螺和窄廊上的田螺偷聽我們談話。」晴明說。

「什、什……」博雅吃驚得說不出話。

「吾人讓麻雀運田螺來，聽了你們談話……」道滿用右手嘎吱嘎吱搔頭，「因內容太有趣，情不自禁忘了該隱藏自己的動靜，才給察覺……」

道滿緩緩挨近，駐足在窄廊下。

「眞是個妖怪……」淨藏低道。

「淨藏，別瞎扯。」道滿露出黃牙笑道，「吾人若是妖怪，你就是妖物。不都是同類?」

「你來做什麼?」淨藏問。

「吾人並非想來做什麼。」道滿說，「什麼都不做。」

「不做?」

「只是來看熱鬧。」道滿說。

「你偷聽我們的談話，是不是有什麼企圖？」

「四處都發生著趣事。吾人要待在最佳場所看熱鬧。若說吾人有什麼企圖，就這點而已。」

「你不過來坐？」淨藏說。

「正因爲是偷聽才有趣。過去那邊聽，無趣……」

這回答正是道滿向來的作風。

「晴明……」道滿望向晴明。

「是。」

「時候快到了。」

「快到了？」

「貞盛的惡瘡，再不處理，會發生更有趣的事。」

「我知道。」

「是嗎？那你有辦法嗎？」

「有。」

「既然如此，吾人就不多說。因吾人是旁觀者。」

說畢，道滿微微一笑。接著轉身背對三人。

「淨藏。」道滿背對說話。

「什麼事？」

「那門張的結界，很好玩。」

道滿留下這句話，跨開腳步。沒回頭。就那樣消失了。

七

「眞是個怪男人。」

道滿消失後，隔了二次呼吸時間，淨藏說。

「確實是個怪男人。」晴明也如此認爲。

陽光照著道滿消失的庭院，明亮又寬敞。

淨藏自院子移回視線說：

「晴明，你也已察覺了吧？」

「是。」晴明點頭。

「俵藤太大人那把黃金丸，砍了人，傷口不經二十年不會癒合。」

「是。」

「將門大人遭黃金丸砍了以來，今年正滿二十年……」

「是。」

「思及此，再湊合京城目前發生的各種事，自然而然可得出答案。」

「是的，可得出答案。」晴明答。

「喂、喂，晴明，可得出什麼答案？」博雅問。

「是說，有人企圖讓平將門大人死而復生。」晴明慢條斯理說出這句話。

「什、什麼？」博雅尖叫出來。

卷十二

瀧夜叉

一

火焰熊熊燃燒。

四周包圍著凹凸不平的岩壁。

頭上和腳底都是岩石。

此處是洞窟——

似乎在天然岩洞內又多少加了人工。

是個大岩洞。

天井高度不一。中央部分，有成人一伸手，手指便能觸及的地方，也有高得五個成人彼此搭在肩上也摸不到的地方。

頭上四處垂掛著冰柱般的岩石。

岩柱有粗有細，也有幾根重疊成一束之處。

其中也有自上垂落與地面岩石連在一起。

看似岩石溶化，垂落時凝固起來。

是鐘乳岩洞——

裡邊有座大岩臺。

好像本來是岩塊，經人工削平上部製成了臺子。

臺前有座岩塊刻鑿成如爐一般的東西，正燃著火焰。

洞窟內，剛才起便響起低沉人聲。

是咒文。

有個黑影坐在爐前，正在念眞言。

然而，那眞言有點怪。

娑嚩賀・吽吽吽・薩擔婆野・曩捨野・設咄論・薩嚩・尾訖哩多娜曩・瑟置哩・紇哩・唵①

剛才起便反覆在念那咒文。是大威德明王大心咒——

歸依普渡金剛。憤怒相之金剛尊。請除掉一切怨敵。請阻止。請摧毀。請摧毀。請摧毀。可喜。

大致是如此意思的眞言，黑影卻倒過來念。

那黑影後方坐著個女子，身穿十二單衣，頭上深蓋著披衣。

女子默默無語，只有黑影念著顚倒的眞言，但那聲音在岩洞內四處回

①大威德明王大心咒，又稱「聖閻曼德迦威怒王大心真言」，原文作「唵・紇哩・瑟置哩・尾訖哩多娜曩・吽・薩嚩・設咄論・曩捨野・塞擔婆野・薩擔婆野・娑頗托・娑頗托・娑嚩賀」，此處依三藏法師所譯。

響，聽來像是多人齊聲在念那怪咒文。

火光將黑影和女子影子映在四周岩石和鍾乳石上，搖晃著。

黑影聲音中偶爾夾雜柴薪的爆裂聲。

黑影前——在燃燒火焰的爐後那岩臺上，橫躺著奇怪物體。

是具龐大屍體。

不，不是屍體。

因爲仰躺在臺上的那人身體，有時會呼應黑影聲音般微微抖動。

全裸。

而且奇異的是，躺在臺上那人的肢體沒有頭顱和右臂。

手臂姑且不說，但沒有頭顱，人無法生存。

因此躺在臺上那人一定是屍體。

儘管如此，那肢體還是痙攣般微微抖動或往後仰。

並非火光映在全裸肢體上搖晃，使屍體看起來彷彿在動。而是那沒頭顱、只有一條手臂的肢體確實在動。

全身傷痕累累。

「噢！」眞言結束，傳來男人歡聲：「動了。將門大人動了。」

沒頭顱和沒右臂的肢體似乎聽到那聲音，在臺上扭動身子。

「宗姬啊……」黑影低道。

「是。」

黑影後方——披衣中傳出女子聲。

「快了。」

「是。」

「新皇快回到這人世了……」

說畢，黑影再度以歡喜的聲音哈哈大笑起來。

「瀧夜叉姬啊，實現我們悲願的時候到了。」

二

晴明和博雅穿過山門走下石階。

不久前，他們剛和淨藏道別。

綠葉在頭上搖曳不停。

「晴明。」博雅說。

「博雅，什麼事？」

「那內容實在很駭人。」

「嗯。」

「爲什麼會變成那樣呢？」博雅深深感慨道。

晴明沒回應。

兩人腳底踏著落在石階上的光影。

「我覺得將門大人很可憐。」

「……」

「將門大人和俵藤太大人，還有貞盛大人，難道沒有不讓他們爭鬥的方法？」

「因他們都是人。」晴明低道。

「人？」

「人，不吹笛不行啊。」

「吹笛？」

「博雅，你不吹笛能活下去嗎？」

「不能。」

「不吹不行吧。」

「要我不吹笛，等於要我死。不吹笛的博雅，等於死了的博雅。」

「或許是吧。」

「晴明，我不知該怎麼說。我想，我大概不是因高興才吹笛。」
「是嗎？」
「也不是因悲哀才吹笛。高興時吹，悲哀時也吹。無論發生什麼事或沒發生任何事，我都吹。這才是笛子存在的意義。」
「嗯。」
「跟呼吸一樣。人並非因悲哀或高興才呼吸或不呼吸。只要活在這世上，人隨時都必須呼吸。」
「博雅，正是如此。」
「正是如此？」
「人只要活在這世上，總有無法消除的東西。」晴明說。
博雅想說什麼而張嘴，卻沒發出聲音。
他默默跟晴明一起在綠葉下步下石階。
綠葉在兩人頭上搖曳著，腳底灑落閃閃發光的陽光。
「博雅。」晴明說。
「什麼事？晴明。」
「看來必須提早了……」
「提早？」

「我正在思考這問題。」
「思考？」
「我是說，該先做什麼。」
「什麼意思？」
「當前必須做兩件事。」
「什麼事？」
「一件是小野大人的事。」
「噢，剛才淨藏大人說的那事。」
「嗯。」晴明點頭。
剛才——
道滿消失後，話題再度回到將門身上。
就是淨藏到底把燒掉將門頭顱後的爐灰交給了誰保管。
「我是把灰交給了小野道風大人保管。」淨藏說。
小野道風②——是參議小野好古的弟弟。
「爲何交給道風大人？」晴明問。
「當我正不知該如何處理剩下的灰時，湊巧道風大人到我當時居住的叡山找我。」

②小野道風，八九四—九六七年，平安時代書道代表「三蹟」之一人。

「十九年前？」

「是的。倘若沒人偷走灰，我打算全部丟進鴨川……」

「可是灰被偷走了。」

「換句話說，爲防萬一，我必須留一些灰在這世上。」

「是。」

「可是，若留在我身邊，遲早會被想要那灰的人知道。若對方知道，也許改天又會來偷。我要是人在寺院時還好，但有時我不在。」

「因此您決定藏起來？」

「嗯。」

「於是交給道風大人？」

「是的。我認爲這樣比交給別的寺院或陰陽師保管要好。」

若交給相關者——或有交給對方保管的理由，這種情況下，隱密場所總有一天會被對方找到。

「因此我把灰交給湊巧來找我的道風大人。」

「道風大人知道那灰是什麼嗎……」

「不知道。」

「您交給他時怎麼說？」

「老實說，晴明，事發的前一年左右，道風大人曾託我寫一卷《尊勝陀羅尼》給他。」

「噢。」

「道風大人將一部分經文縫進他的衣領。」

「之後呢？」

「據說託那經文的福，他逃過妖鬼災厄。」

「怎樣的妖鬼災厄？」

「他沒詳細說明。我問他，他也只是說多虧《尊勝陀羅尼》而得救。」

「是。」

「現在想想，我很後悔當時爲何沒問清楚。其實對方也有難言之隱。」

「什麼難言之隱？」

「他當時在西京和女人幽會，遭遇妖鬼，女人被啖噬，道風大人卻得救了。」

「原來……」

「可是，當時他沒說出。而我當時也爲了將門頭顱一事心煩……」

「……」

「道風大人說，回宅邸後，拆開衣領一看，縫進衣領的《尊勝陀羅尼》

經文已燒焦。」

「哦。」

「因此一方面來道謝，另一方面找我再幫他補寫燒掉部分的《尊勝陀羅尼》。」

「是。」

「我寫了。」

而且那時淨藏將裝在袋子的爐灰交給道風。

「您怎麼交給他？」

「除了《尊勝陀羅尼》，其實我又寫了一份。」

「寫了什麼？」

「《大威德明王大心咒》……」

「原來如此。」

「寫好後，放進袋子，我告訴他要好好珍藏。」

「道風大人當時沒問什麼嗎？」

「問了。」淨藏說。

然而，不能說出眞相。

「持有這個可以避免妖鬼之害。出門時，在衣領縫進《尊勝陀羅尼》經文，這個最好放在宅邸。」

淨藏對道風如此說。

「持有者不知道裡面裝什麼比較有效。看了內容物，靈力會消失。也不能告訴別人你持有此物。」

再怎麼說，道風因淨藏寫的《尊勝陀羅尼》而逃過妖鬼災厄，剛拾回性命。

因此道風對淨藏說的話老實點頭。

「藏在家人不知道的地方，萬一遺失了，馬上來通知我。」

於是，把裝有灰和《大威德明王大心咒》經文的袋子放進木盒子，讓道風拿回去。

「晴明，我當時認爲這樣就可以。」淨藏說，「愼重起見，我能做的都做了，我認爲應該不會發生任何事。」

「但發生了？」

「嗯。」

「是盜賊闖入小野好古大人宅邸那事？」

「正是如此。」

「可是，爲何盜賊知道此事呢？」

「目前我已推斷出理由。」

「推斷出理由？」

「即便我謀算不讓他們之間結緣，但緣分終究是緣分。我太短視了。正是在我們意想不到之處有牽連，才叫緣分……」

「小野道風大人在西京遭遇的妖鬼，看來似乎正跟這回的事有關……」

「指的是什麼事？」

「這回的事？」

「將門大人的事。」

「噢，您是說……」

「你知道有個怪女子出現在小野好古大人宅邸，問他有沒有保管雲居寺託付的東西吧？」

「是。」

「來通知我這事的是賀茂保憲大人，我聽後馬上明白。女子大概在找我交給道風大人保管的灰。」

「可是，爲何對方認爲淨藏大人把灰交給小野好古大人……」

「我遣人到叡山調查。」

「調查？」

「向知道舊事的人問了各種相關問題，結果得知一件事。」

「什麼事？」

「三個月前，有個年約六十的老人到叡山打聽十九年前的種種事。」

「噢。」

「問說，當時有沒有人來找淨藏。」

「結果問出好古大人的名字？」

「是的。」

「可是，來找您的不是好古大人，應該是道風大人……」

「是牛車。」

「牛車？」

「道風大人是微服而行，隱藏臉孔和名字來找我，那時搭的牛車是……」

「不是道風大人的牛車，而是好古大人的牛車……」

「是的。」

「原來如此。」

「叡山和尚中，有人看到那牛車，那人似乎向對方說，來找我的是小野好古大人。」

既然有人特地微行來找淨藏，而那人名字是小野好古的話——

「也難怪他們會認爲保管灰的是小野好古大人。」
「這表示盜賊一開始就認爲淨藏大人一定藏著灰，或把灰交給某人保管了？」
「大概如此吧。」
「既然這樣，就不是普通對手。」
「沒錯。」
「他們大概在準備讓將門大人起死回生，而想起二十年前那骨灰的下落吧。」
「他們想到，說不定我藏起將門頭顱的骨灰……於是坐立不安，才來打聽情況。」
「那之後過了二十年……」
「晴明，你明白這二十年的意義嗎……」
「是黃金丸吧？」
「嗯。」
「砍斷將門大人肢體的是俵藤太大人的黃金丸。而經黃金丸砍傷的傷口，二十年無法痊癒。因此他們挖起埋在四處的將門大人肢體，聚集一起，於二十年後再結合爲一體……」

「太可怕了。」

「這種事有可能辦到嗎？」

「我聽說將門的身軀是不死之身。若是如此……」

「可以辦到？」

「大概吧。」

「小野好古大人在將門及藤原純友之亂時，都立了功，難怪他們會認爲好古大人帶骨灰回去了。」

「嗯。」

「可是，既然在好古大人宅邸找不到骨灰，盜賊應該也會想到可能在道風大人那兒吧。」

「我正是擔憂這點，老實說，我託保憲大人到道風大人那兒取回骨灰了。」

「我認爲保憲大人會覺得麻煩，不願做這種事……」

「這回是例外。保憲大人說，晴明一人可能負擔太重，而主動提出……」

「不過，盜賊若不知此事，不是遲早會到道風大人那兒嗎……」

「正是衝著這點，晴明……」淨藏說。

「原來如此。」晴明立即點頭，「這表示保憲大人已著手了？」

「嗯。」淨藏點頭。

「還有一點，剛才您說了一件令我在意的事。」晴明問。

「什麼事？」

「是十九年前道風大人在西京逃過妖鬼災厄的事，您說，那事跟這回事件有關……」

「噢，是那事嗎？」

「是。」

「那是保憲大人去找道風大人時，道風大人告訴他的。」

「告訴他什麼？」

「道風大人在西京某荒廢寺院跟女人幽會，那時，據說庭院出現女童和黑影。」

「是嗎？」

「結果，不久又來了無數妖鬼。那些妖鬼手中拿著……」

「拿著什麼？」

「人的零散屍體。」

「原來……」

「妖鬼拿來的屍體，黑影讓女童從眾多零散屍塊中找出一具屍體分量。」

「原來是這麼回事。」

「是。」

「這回京城所發生的種種事件，在幕後操縱的人物正是那黑影，對嗎？」

「晴明，這事你早就心裡有數吧？」

「是。」

「目前我心中有個男人名字。」

「我也有。」

晴明和淨藏彼此相望，微笑起來。

「現在不能說出那名字。」淨藏說。

「是。」

「我聽說有人偷走埋在東國各處的將門大人肢體，覺得很可疑。」

俵藤太用黃金丸砍斷將門肢體，混在其他屍體中，讓別人分辨不出，再命人埋在關東八州各處。這些屍體接二連三遭人盜墓，埋在裡面的零散屍體全失竊。

「我認為這一定不是人做的，是非人界的東西做的。因此放出式神混進妖鬼群中。」

「淨藏大人放出式神？」

「用了我的拂塵和鳥毛。」
「結果呢？」
「混在送將門大人肢體的妖鬼群中，跟到西京那座荒廢寺院，在那兒被識破。」
「……」
「不過，也因此得知一些事。」
「什麼事？」
「頭顱以外，另有人奪走將門肢體的一部分。」
「肢體的一部分？」
「是右臂。」
「是嗎？」
「不知是妖鬼盜墓之前便已消失，還是盜墓後，送屍體前往寺院途中弄丟了……」
「不是淨藏大人做的？」
「我只處理了頭顱。」
「奇怪……」
晴明閉眼，回憶十九年前的事。

十九年前——

他跟師傅賀茂忠行於夜晚在朱雀大路南下時曾遭遇百鬼夜行。

獨眼妖。

獨腳妖。

禿頭妖。

狗臉的東西。

鳥臉的東西。

眾妖鬼拿著人的零亂肢體在路上百鬼夜行——

——難道正是那時？

晴明睜眼，問淨藏：「到底是誰做的？」

「不知道。」

淨藏以不像說謊的語調回答。

三

「派人隨時待在小野道風大人身邊，若有人接近，就捉住對方……」晴明邊走下石階邊向博雅說。

「唔。」

「不過，根據淨藏大人所說，保憲大人似乎已在進行這事了……」

「另一件事呢？」

「道滿大人不是說過了？」

「平貞盛大人？」

「是的。我必須造訪貞盛大人宅邸。只是……」

「怎麼了？」

「我是說，或許多少會有危險，博雅。」

「危險？」

「必須有個可靠夥伴。」

「有嗎？」

「有。」

「是誰？」

「藤原秀鄉——俵藤太大人。」晴明說。

四

晴明和博雅與俵藤太一起造訪平貞盛宅邸時，維時出來迎客。

「勞煩你們特地來一趟，此刻家父貞盛不在。」維時說。

一副束手無策的表情。

從他表情看來也知道貞盛並非其實在家，而他謊稱不在。

「他出門去哪了嗎？」晴明問。

「這，不知道。」

「不知道？」

「今天早上還在，我也向父親問安了，之後……」

「不見了？」

「是的。」

「什麼時候發現他不見了？」

「就在剛才。」

「可是，也有可能更早失蹤吧？」

「是。」

三人已進入宅邸。三人坐在圓墊上，與維時相對。

「我聽說貞盛大人患了惡瘡，而且病情很重。他能夠單獨一人外出嗎？」俵藤太問。

「可以。只是走走路或小跑一段路這種程度的事，是沒問題的……」維時答。

「上次我問過有關兒肝一事……」晴明說。

「是。」維時老實點頭。

「我現在再問同樣問題，您知道關於兒肝的事嗎？」

維時緊閉著嘴，默不作聲。

「您知道嗎？」晴明又問。

維時下定決心般望著晴明，說：「知道。」接著說：「上次向您說謊，說不知道，很抱歉。因事情重大，我實在說不出口，只得說不知道。」

「我明白。不過，目前已非隱瞞的時候了。」

「是。」

「您願意說嗎？」

博雅一副莫名其妙的表情，望著說這話的晴明的臉。但博雅沒插嘴。

「我說。」維時重新坐正說，「家父貞盛用了兒肝……」

「兒肝?!」博雅忍不住問。

「取出母親胎內的嬰兒，吃其肝臟。」維時說。

「什、什麼?!」

因事情太意外，博雅說不出話。

「家父貞盛吃過嬰兒肝臟。第一個肝臟，差點是我兒子的肝臟……」

五

《今昔物語集》③也記載武將平貞盛所做的奇異療法兒肝一事。

在〈丹波守平貞盛取兒肝語〉④一篇中，指名道姓記載著有關貞盛這奇異故事。而說出此事的人是貞盛首屈一指的家臣館諸忠之女，相當可靠。

根據此故事內容，彼時貞盛患上惡瘡。

「這是極爲惡性的惡瘡。」醫師說。

「有治療方法嗎？」貞盛問。

「有。」醫師道。

說畢，醫師緊閉雙脣，面無血色默不作聲。

「什麼方法？既有治療方法，就快說。」

「可是，這個……」醫師遲遲不說方法。

③平安時代末期成形的民間故事集，全書共三十一卷，因每篇故事皆以「今昔」開頭，故稱為《今昔物語集》。

④出自《今昔物語集》第二十九卷二十五篇。

「是什麼？」
「這是種不能說給人聽的藥。」
「說！」
「是兒肝。」
「兒肝?!」
「自母親體內取出還未生出的胎兒，用其肝臟當藥吃。」
「你說什麼?!」貞盛叫出聲。
「除此以外別無他法。」醫師祥仙說。
「唔唔唔……」貞盛呻吟。
本來是兩年前跟將門交戰那時，被將門長刀刺傷的傷口。
傷口遲遲不痊癒。
一度曾即將痊癒，但傷口還未全部癒合又裂開了。而在新傷口將要癒合之際，又再度裂開。很難痊癒。
每次都在即將痊癒時，一不小心那傷口又裂開。
這事反覆再三。
之後，在傷口痊癒前，四周的肉開始紅腫潰爛並長膿。
膿包逐漸擴展，變成惡瘡。

右半邊的臉潰爛得簡直像要生出蛆來，甚至連下人都認不出貞盛。
「這是將門作祟嗎？」
那是俵藤太的嚆矢射中將門之前，將門砍了貞盛額頭時的傷口。
難道那傷口棲息將門的遺恨？
「有人可以治癒這傷口嗎？」
貞盛在尋找醫師時，來的正是祥仙。
祥仙牽著名叫如月的九歲女童造訪貞盛宅邸。
「讓我來醫治您的惡瘡。」祥仙說。
祥仙取出某種塗藥。
「只要抹上此藥，惡瘡可以暫且消失。」
他命那女童如月在貞盛惡瘡上塗藥。
塗藥後，貼上布，一晚過後，惡瘡縮小一圈。
再抹藥，貼上布，又經過一晚，惡瘡變得更小。
第三天縮小一半，第五天更小，惡瘡終於在第十天消失。
只剩刀傷。但那傷口也已癒合，剩下傷痕而已。
「這刀傷無法治癒嗎？」
「就只有這個……」祥仙說無法治癒。

「十天前，你說惡瘡暫且可以消失？」
「說了。」
「意思是日後又會長出惡瘡？」
「是。」
「什麼時候？」
「約一年後，或者更久……」
「一年嗎？」
「這回雖治癒了，但下回出現的惡瘡很可能更棘手。」
「棘手？」
「不，雖說棘手，不過請您放心。一年後我會再來拜訪。」
說畢，祥仙離開貞盛宅邸。
事情果然如祥仙所說。
大概過了約一年，惡瘡又出現了。
最初只是傷痕發癢。傷痕癢得很。癢得令人受不了。
於是用指甲抓。起初只是輕輕抓。
可是，一抓會很舒服。而且愈抓愈癢。
「癢！」

抓著抓著，皮膚破裂，流出鮮血。但還是繼續抓。
不抓不行。咯吱咯吱剮肉般地用力抓。
「啊，好癢。」
癢得要死。用指甲挖肉。
指甲縫塞進搔破的皮膚和肉，卻仍忍不住去抓。
之後那地方長膿，又形成惡瘡。比以前更嚴重。
塗上據說有效的藥也無法治癒。連醫師都束手無措。
「非祥仙不可。」
去找祥仙來——
然而，沒人知道祥仙居所。
就在惡瘡愈來愈嚴重時——
祥仙出現了。依舊帶著如月。
「變得怎樣？」祥仙看了貞盛的惡瘡，別過臉說，「噢，太駭人了。」
「怎樣？能治好嗎？」貞盛問。
「總之，先試試看。」
抹了跟上次一樣的藥。黏糊的白色膏藥。
可是，這回惡瘡雖縮小一些，卻不再繼續縮小。

無論塗幾次都不見效。只要過一晚，大量塗上的膏藥就全消失，惡瘡表面只黏著細碎線條般的乾燥渣滓。

「有沒有別的好方法？」貞盛問。

「兒肝。」祥仙如此回答。

六

「能治好嗎？」貞盛簡短問。

「能。」祥仙點頭。

貞盛立即說：「叫維時過來。」

下人馬上請兒子維時來。

「什麼事？」維時問。

當時不僅貞盛在場，祥仙和如月都在場。

「你妻子是不是正懷孕？」

「是。」

「多大了？」

「大概八個月。」維時說。

「太好了。」貞盛微笑說，「那你快去準備葬禮。」

貞盛叫維時立即去準備葬禮。然而，維時聽不懂父親的意思。

「什麼意思？」

「兒肝。」

「兒肝？」

「剖開你妻子肚子，取出嬰兒，我要吃嬰兒肝臟。」

「什、什麼？」

「祥仙說吃兒肝可以治癒我的惡瘡。你也知道去年正是祥仙的醫術才治好我的惡瘡吧。祥仙確實醫術很好。」

維時說不出話。

「若在外頭找女人，一定會讓世人察覺。」

貞盛是說，找外面孕婦取兒肝，事情一定會敗露。

貞盛已下定決心。

「喚維時之妻來。」貞盛大聲說。

「馬上喚來。」

下人在另一頭回應，又傳來有人奔去的動靜。

維時面色蒼白，咬著嘴唇。

臉頰失去血色。他總算理解貞盛說的意思。

事情到此，他知道無論說什麼都不能改變貞盛的決心。要阻止的話，只能現在當場殺死父親貞盛。可是，他下不了決心。事情來得太突然。

他以求救眼神望向祥仙。

祥仙無言閉上雙眼，緊閉雙脣。

自媳婦體內取出還未出生的孩子，並吃其肝臟，眞是瘋狂舉動。

貞盛已變成妖鬼了嗎。

維時幾度吸氣又呼氣，調整了呼吸。

若要阻止，只能此刻拔刀殺死父親。呼吸急促起來。

「怎麼了？」貞盛說，「維時，你在發抖。」

身體確實在發抖。

就在維時即將有所行動時，一股溫柔力量握住維時擱在膝上的右手。

是如月。十歲的如月，雙手握住維時發抖的右手。

「沒事嗎？」如月的黑色大眼睛望著維時。

維時放鬆下來，身體的僵硬消除了，恢復正常呼吸。也不再發抖。

此刻不能衝動行事。目前首先必須以理服人，讓貞盛打消主意。

倘若他仍不聽，到時候再——維時如此下定決心。

「沒事。」維時說。

此時——

維時妻子已被喚來。肚子很大。

她一副莫名其妙的樣子坐在垂簾內。

連垂簾外都感覺得出她很不安，心神不定。

「喂。」貞盛說。

「請稍待……」祥仙起身。

他走向前，鑽進垂簾，說句：「請見諒。」，用右掌貼在孕婦腹部。

祥仙隨即自垂簾出來，又回到原位坐下。

「怎麼了？」貞盛問。

「請維時大人的夫人退下。」祥仙說。

他沒說理由。兒肝是祥仙說的，既然他如此要求，貞盛也只得聽從，暫且讓維時的妻子退下。

維時的妻子離去後，貞盛問：「怎麼回事？」

「那個不能用。」祥仙說。

「爲什麼？」

「因肚子裡的胎兒是女的。」

「女的？」

「這回的兒肝，不要女嬰，要男嬰肝臟才有效。」祥仙道。

「原來如此。」

聽到貞盛點頭這樣說，維時覺得自己的血液溫度總算回復。

「對了，」貞盛似乎想起某事，收回下巴說：「炊事婦的確懷孕了。」

下人立即喚來那女子。

這回不是屋內而是窄廊下的庭院，坐著個大肚子的女子。

此時貞盛已握刀起身。

他走下庭院，站在女子面前，「唔」一聲，冷不防就砍死女子。

完全沒給任何人說話的餘地。

剖開女子肚子，從中出現的是女嬰。

「丟掉。」貞盛說。

女子屍體和女嬰屍體立即被扔棄。

結果——

遣人買來三位懷孕女子。

去尋找這些女人的下人也不知道貞盛爲何命他們做此事。

三個女人聚在貞盛面前。

貞盛親自握長刀。

剖開三人肚子後，其中之一是男嬰，貞盛當場吃下那男嬰肝臟。

只有祥仙一人在場。維時是事後才得知此事。

「人肝出乎意料地好吃。」

惡瘡痊癒後，貞盛在維時面前輕聲地如此說。

就在維時眼見貞盛的惡瘡逐漸痊癒，暗忖父親終於吃了兒肝之時。

當時只有貞盛和維時兩人。

說完這句話，貞盛突然壓低聲音，嘴巴湊近維時耳邊，悄聲說：

「殺掉祥仙，偷偷埋了。」

「什麼……」

「只有祥仙知道我吃了兒肝。不知那男人會在哪時、哪處向人說出什麼。現在殺死他比較安全。」

這時，祥仙還待在貞盛宅邸。

維時到祥仙那裡，說：「請逃走。」

「爲什麼？」祥仙問。

維時告訴他貞盛說的話，並向他說：

「我雖恨你教我父親貞盛有關兒肝的邪法，但那時你救了我妻子和孩子

性命。」

如月一個人在庭院裡玩，望著飛來的鳥群。

維時望著如月，向祥仙說：

「反正是我父親，說不定改天也會命別人殺掉如月。你們和我一起離開這宅邸，兩人直接遠離此地。我在途中回來，報告我父親貞盛，說已殺了你們兩人並埋了。」

「您特地來告訴我這麼重大的事，我不知該如何表示謝意。可是，維時大人，您若報告已殺死我們，日後貞盛大人要是得知我們還活著，不知會有多憤怒。您放心。我有個好辦法。」

祥仙說畢，跨開腳步。

「去哪裡？」維時問。

「到貞盛大人那兒……」祥仙答。

七

祥仙見了貞盛，說：「我有話對您說。」

「什麼事？」貞盛問。

維時坐在一旁聽兩人談話。

「有關惡瘡的事。」

「噢。」

「看上去似乎完全痊癒，但您還不能安心。」

「什麼？」

「這惡瘡不知何時又會出現，屆時您可能還需要我的力量。」

「此事當眞？」貞盛說畢，轉動眼珠瞪著維時。

因剛才正命維時殺死祥仙。難怪貞盛會起疑。

但是，對維時來說，貞盛雖瞪著他，也不能移開視線。

維時拳頭中緊握汗水，忍耐著貞盛的視線。

等貞盛回望祥仙時，祥仙才說：

「今日以後，我不會離開此地，打算一直在貞盛大人身邊伺候。不僅惡瘡，任何疾病，我都可以爲您效勞。」

原來如此。祥仙說得很有道理。

不去任何地方，在貞盛身邊伺候的話，便不可能向旁人提及兒肝的事。

「明白了。」貞盛點頭。

如此，祥仙在附近找了房子，成爲貞盛專屬醫師。

而貞盛的惡瘡也如祥仙所說那般，每隔幾年就會出現。

起初使用那膏藥，當膏藥也無法抑制病狀時，貞盛再吃兒肝。

每次痊癒後，過幾年又會出現惡瘡。

而每次在最後都使用兒肝，且每次使用兒肝時，兒肝量也隨之增加。

八

「這實在是很可恥的事。」維時咬牙向晴明說。

「唔……」俵藤太抱著手，低沉呻吟。

內容太駭人。博雅也說不出話。

「貞盛大人最後一次吃兒肝是何時？」晴明問。

「正好約六年前吧……」

「這六年來惡瘡都沒出現？」

「是。」

「我想您大概也聽說了，最近有人在京城四處襲擊懷孕女子。這跟貞盛大人有關嗎……」

「恐怕是我父親做的。」

維時毫不遲疑地說，不知是否已下定決心。

「那麼，他因這回惡瘡已吃了好幾次兒肝了？」

「是。」

「儘管如此，這回的惡瘡還是無法痊癒？」

「正如晴明大人之前看的那般……」

「貞盛大人行蹤不明，那祥仙和如月大人呢？」

「我察覺父親貞盛不在時，立即到祥仙居處通報，但兩人都不在。」維時表情鬱鬱不安。

「您知道他們去哪裡嗎？」

「不知道。」

「有關貞盛大人，我剛才也問過了，他會不會爲了兒肝而到哪去……」

晴明說這話時，「啊！」維時叫出一聲。

「您想起什麼事嗎？」

「昨天有人送炭過來……」

「噢。」

「是每次都送炭來的燒炭人，名叫岩介，那時他說他妻子懷孕了。」

「懷孕了？」

「他說大概已六個月，我父親或許略微聽到一點風聲。」

「那岩介住哪裡？」

「他在桂川西邊山溝搭了間茅屋，住在那裡燒炭。」維時說。

九

停住牛車，開始步行時，已是傍晚。

四人讓眾隨從在牛車旁等待，往前走。

晴明和博雅兩人。俵藤太和平維時兩人。共四人。

「博雅，你留著。」途中晴明在牛車內對博雅說。

「我也要去。」博雅如此說，堅持要去，「晴明，讓你一人去危險之處，你認為我能平心靜氣嗎？」

「好吧。」晴明只能點頭。

反正俵藤太在，維時也在。

即使發生什麼事，只要這兩人在，應該不會有問題。

四人走的是山徑。群樹左右遮著狹窄的路，已如夜晚昏暗。

維時點燃火把舉著。一行人仰賴那火光，登上山徑。

不久——

「快到了。」維時說。

山徑陡度變得較緩，空氣中傳來木炭味。

一行人來到空曠之處。

月亮已升起，火把照不到的地方也隱約能看見。

盡頭有個類似小屋的影子，看上去黑漆漆。一旁也可見有個類似燒木炭的窯影。

走在前面的維時駐足。他用火把照看腳邊。有人倒在地面。

「是岩介。」維時說。

一眼便能看出那是屍體。

岩介脖子被斜砍，傷口大大裂開。鮮血已流光，滲入四周地面。

岩介仰躺著，睜著眼睛喪命。

原本應是遮住小屋入口的蓆子落在地面。

那蓆子以奇異形狀隆起。

維時掀開蓆子用火把映照，露出具女子屍體。

腹部被人用刀刃剖開。

維時沒說什麼，但眾人都知道那女子是誰。

「裡面有人……」藤太低語。

藤太將黃金丸自腰上的刀鞘拔出。

以藤太爲首，維時跟後，兩人先進小屋。晴明和博雅隨後。

是間簡陋狹窄的小屋。地面是泥地。中央有個用石頭圍起的火爐。

火爐另一方有個黑影蹲在地面。

那黑影蜷曲著背部，背對入口，蹲在地面看似在做某事。

黑影旁的泥地插著一把長刀。長刀刀刃沾著鮮血。

黑影蠕動著肩膀和脖子。

傳來一陣濕潤的咕嘰、咕嘰聲。那聲音令人毛骨悚然。

是令人脖子汗毛倒豎的聲音。

黑影背對入口，看似在吃著某濕潤的東西。

「父親大人……」維時以低沉嘶啞聲呼喚那背影。

黑影的肩膀和脖子停止蠕動。

「維時嗎……」黑影背對眾人說。

黑影緩緩回頭。

「怎樣？我的臉恢復原狀了？」那東西說。

那東西已非貞盛也非人臉。

頭部四處冒出類似泡沫的肉瘤，分不清何處是眼睛何處是鼻子。
只看得清嘴巴。那嘴巴和臉沾滿鮮血。
那東西——貞盛雙手捧著剛才埋著臉吃的東西——正是取出不久的嬰兒屍體。
「您這模樣太可恥了……」維時發出宛如在流血的聲音。
「噢……」
貞盛站起身。拋出雙手捧著的嬰兒屍體。
「癢，好癢……」貞盛說。
說完，貞盛開始用雙手手指用力抓自己的臉。
他用指甲挖肉。讓手指潛入肉中剔肉。頭髮帶肉掉落。
撲通，撲通，撕裂的肉塊掉在地面。
自掉落的肉內側出現某物。
仰賴維時所舉的火把亮光，眾人可看清那光景。
「那、那是……」博雅叫出聲。
自原本是貞盛臉龐內側出現的，是——
「臉。」
是人臉。火把亮光中浮出張不是貞盛的臉。

那張臉望著四人，揚起雙脣兩端，無聲笑著。

左眼有兩個發光瞳孔。那張臉說：

「在那兒的是俵藤太嗎？」

「將門！」俵藤太大叫。

「藤太，久違了……」將門說。

卷十三

陵態者

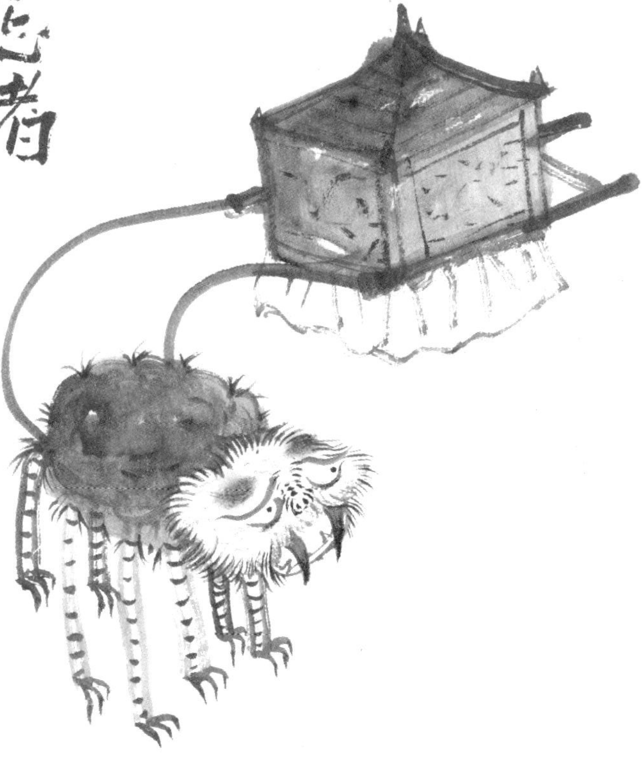

一

小野道風在被褥中睜著眼。

眼睛雖睜著，也只能看見一片漆黑，雖然闔上或睜開眼都一樣，但他還是睜著眼凝望漆黑。

呼吸不穩定。因受威嚇。受那男人——

那男人——是賀茂保憲。保憲昨天來訪。他說：

「淨藏大人有託您保管一樣東西吧。」

聽他如此說，道風才想起來。淨藏確實交給他一樣東西。

是十九年前。在西京遭遇可怕的事之後。

與他幽會的女子竟在眼前被妖鬼們啖噬了。

他自己因衣領縫進淨藏寫的《尊勝陀羅尼》經文，因而得救。

妖鬼似乎看不到他。回家一看，《尊勝陀羅尼》經文已燒焦。

他打算請淨藏再幫他寫新經文，到叡山造訪淨藏。

不是搭自己的牛車，而是搭哥哥小野好古的牛車。

那時，除了《尊勝陀羅尼》經文，淨藏另給他一樣東西。

那不是代爲保管的東西。道風認爲那是淨藏送他的。

是個擱在掌上大約還留此空間的小袋子。是錦袋。

「是可以避開妖鬼難的護身符。」淨藏說。

只是，淨藏又說，不能對任何人說出此事。若說出，會失靈。

因此至今他始終沒向任何人說出。

「有是有，但那不是代爲保管的東西，是淨藏大人送我的。」道風說。

「正是那個。」保憲若無其事地說，「我希望您將那東西還給淨藏大人。」

道風不願意交出。

若是淨藏本人來說此事，倒還可以，爲何必須給保憲？

可是，保憲說，是淨藏遣他來。

道風自己從未向任何人說出淨藏給他東西一事。

爲何保憲知道此事？

這表示，是淨藏告訴了保憲吧。那麼，保憲說是淨藏遣他來也可能是事實。

若是如此，不交出不行。但是，交出了又會怎樣？

淨藏說過，那是可以避開妖鬼難的東西。那東西若從自己手中遞給別人，事情會變得如何？道風回答不出。

「道風大人……」保憲又恭恭敬敬說，「那東西已失去靈力了。」
「什麼?!」
「道風大人，您剛才不是對第三者的我說出您持有那東西嗎？」
啊——道風幾乎叫出來。的確，他已對淨藏失約了。
然而——
總覺得上了保憲的當。
道風自藏袋子的場所取出袋子，遞給保憲。
「確實收下了。」
保憲將袋子收入懷中，又取出另一樣東西。是木牌。
上面寫著莫名其妙的文字。
「這是淨藏大人重新幫您寫的護身符。」
道風自保憲手中收下。
「雖也可以避開妖鬼或妖物難，但請您千萬要注意一件事。」
「什麼事？」
「這護身符確實可以避開邪鬼，但對人無效。」
「什麼?!」
「我是說，萬一有盜賊闖入用長刀威脅您，那時這護身符也無法保護您

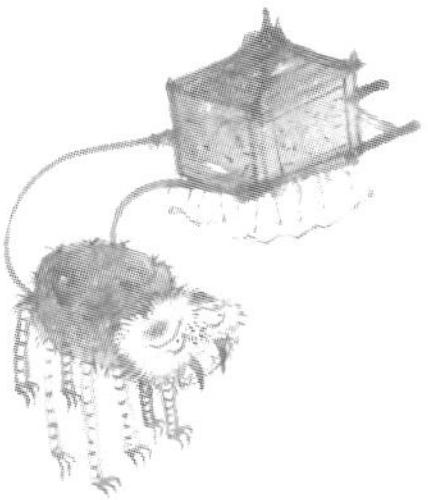

的安全。」

保憲說出令人不快的話。

而且，保憲臨走前又說出令人更不快的話。

「或許，深夜時，會有人來找您問關於剛才還給我那袋子的事。」

「你說什麼?!」道風幾乎跳起來。

他聽不懂保憲到底在說什麼，只是覺得很害怕。

「誰會來找我？」

「會是誰呢？」

「那，是人嗎……」道風問，但保憲不回答。「還是妖鬼？」

「咦，到底是哪邊呢？」保憲含糊其詞，「不過，無論任何東西來找您，問您任何事，希望您都回說不知道。絕不能說出這袋子的事。」

說畢，保憲告辭離去。

這男人眞是令人頭痛。道風因此昨晚幾乎沒睡。

深夜或許有人會來找自己，怎麼可能？

道風在被褥中，既憤怒又害怕。

此時——

響起某種聲音。

二

是地板吱嘎聲。

窄廊——木條地板上有某種沉重物體登上的聲音。

不只一、二次。

吱嘎——

吱嘎——

聲音持續響起。

道風知道什麼時候才會發出這種聲音。

是人。人登上窄廊時會發出這種聲音。

吱嘎、吱嘎。吱嘎、吱嘎。

踏著窄廊的聲音逐漸挨近。

道風抬臉，問對方：「是誰……？」

然而，沒回應。

「是誰？」稍微提高聲音。

不管是誰，不可能沒聽到這喚聲。

不是宅邸內的人。

正看著時，突然亮起火光。火光自格子板窗縫隙射進來。

那火光在移動。道風支起上半身揚聲說：

「有人！有人！是盜賊，盜賊闖進來了！」

可是沒人回應。宅邸內鴉雀無聲。

「沒用的。」聲音響起。是女人聲。

有人隨那聲音進入道風寢室。

是個身穿白色十二單衣，深罩披衣的女子。

女子四周有五、六個身穿黑衣的男人，如影相隨。

其中之一手舉燈火。

「除了道風大人，這宅邸的人都睡著了。」

女子聲音雖乾燥，卻黏糊得像是會纏上肌膚。

「是、是誰？妳是誰……」道風以顫抖聲問。

「我沒名字。」

「什……」

「想稱呼的話，請叫我瀧夜叉。」

「瀧、瀧夜叉?!」

「是的。」女子邊說邊跨前一步。

「找、找我有什麼事？」道風扭著腰部往後退。

「我想請問您一件事。」

「什麼事？」

「這兒應該有雲居寺淨藏託您保管的東西。」

聽對方如此說，道風立即明白。原來是這事？保憲說的是這事？

「不、不知道。」道風說，「妳在說什麼，我不知道。」

道風照保憲吩咐說。他爬著想逃走。

女子跨前，立在道風面前。

「啊！」

道風支著膝蓋，往後仰看女子，屁股著地。

這時，道風右手在半空滑動，手指纏住女子披衣一角。

隱藏女子臉龐的披衣飄然滑落，落在地面。

道風看到女子臉龐。是個美麗女子。

然而，道風未一直看那女子臉龐。女子頭髮吸引了他的視線。

頭髮上插著一把梳子。是象牙梳子。

脊上刻著花紋。花紋內塗著朱漆，再鑲嵌上一層薄玳瑁。透過半透明玳瑁可看到底層的朱漆顏色。

「那、那是……」道風記得那把梳子。

十九年前——道風為了送給幽會女子請人特製的。

那梳子雖給了女子，但之後女子立即在道風眼前被妖鬼們啖噬。

道風眼睜睜望著女子被啖噬。

因他自己身上有淨藏寫的《尊勝陀羅尼》經文，眾妖鬼看不到他而得救，但女子被啖噬時發出的悲鳴，以及妖鬼吃肉、吸血的聲音，至今仍留在耳裡。

眾妖鬼離去後，道風才逃出。

那梳子到底怎樣了，道風從未想過。現在竟插在眼前這女子頭上。

女子察覺道風的視線。

「這梳子怎麼了？」女子以柔聲問，「您看過這把梳子？」

說畢，女子紅唇嘴角左右上揚。

「原來如此。」女子笑出。露出白牙。「您看了那個？」

道風左右搖頭，扭著腰後退。

「不、不知道。我什麼也沒看到。」

「胡說……」女子竊竊私語般道：「女子不可能單獨一人去那種場所。」

「不、不知道。」

「啊，原來您看了我那可恥模樣。」

女子突然神情憂鬱，皺起眉頭。悲哀自女子臉龐如泉水湧出。

「噢……」

女子用右手白皙指尖拾起掉落的披衣深深藏住面孔。

「被看到那模樣了。被看到那模樣了……」

這時——

冷不防外面傳來好幾人的動靜。足音。盔甲觸碰聲。

「喂，圍住。」

「別給逃走。」

響起男人聲音。火把火光在外頭零零落落移動著。

「是公役！」盜賊之一大叫，「是追捕公役！」

盜賊拔出腰上長刀。

黑暗中，火光映在刀身，閃閃發光。

窄廊傳來有人登上的足音。

噹、噹。

足音錯亂移動，繼而響起刀刃交擊的聲音。

「保護宗姬！」

「讓宗姫逃出！」

盜賊們大喊。黑暗中，眾人開始混戰。

三

「總算回來了。」將門說。

將門不慌不忙地環視四周。

晴明在。博雅在。還有俵藤太。以及平維時。

火光中浮出小屋內光景。將門深深吸一口氣。

「沒想到還能在這世上再次吸氣。」邊說邊吐出吸氣。

腳邊有嬰兒屍體。

「將門，你怎麼做出這種事……」藤太說。

將門俯視被吃掉腹中物的嬰兒屍體，喃喃自語：

「噢，太可憐了……」

「是你做的。」

「不是我，藤太。」

「什麼?!」

「這不是我做的。是平貞盛做的。」

「不是你操縱貞盛的嗎？」

「是貞盛自己做的。」

「……」

「沒想到復生一看，現在的人世和以往一樣……」將門以沾滿血的嘴巴低語。

他望著屍體，又望著藤太。

「充滿悲哀和憤怒。」

將門往前跨出一步。

「別動！將門。」藤太握住黃金丸刀柄。

「藤太，要跟我鬥？」將門止步，「你聽好，藤太……」將門說，「人都一樣。」

「一樣？」

「並非因是貞盛才做出這種事。」

「……」

「就算是你，大概也會做出同樣事。」

「什麼?!」

「我是說，倘若你患了惡瘡，而且只有這方法可治，你大概也會跟貞盛一樣做出這種事。」

「……」

「你只是湊巧並非貞盛而已。你只是湊巧沒患上惡瘡而已。你若是貞盛，大概也會做出跟貞盛同樣的事。而你若是將門，此刻在此復生於人世的或許正是你。你只是湊巧並非將門而已……」

「哼。」藤太只握住黃金丸刀柄，還未拔出刀身。

——的確如此。

藤太內心暗自點頭。

倘若將門沒做出那種事，自己或許會做出與將門同樣的事。

藤太自己也認爲如此。他咬著牙。

「不能被他所惑。」晴明在藤太身邊說，「俵藤太大人是俵藤太大人，不是將門大人。」

「唔。」藤太嘴脣冒出呼氣。

「怎樣？藤太，」將門說，「要不要跟我一起毀滅這京城……」

「……」

「跟我們一起舉兵……」

將門的聲音如咒文，注入藤太耳裡。

「藤太大人，不能被他所惑。」晴明聲音響起。

將門轉動雙眼望向晴明。

「你叫晴明嗎……」將門問。

「是。」

將門望著晴明往前跨出一步，挨近插在地面的長刀。

「是陰陽師？」手握住長刀刀柄。

「別動，將門。」藤太沉下腰。

「噢。」將門手握刀柄望向藤太。「動了，你會怎樣？」

「砍你。」

「你砍得下我嗎？」

「有必要的話。」

「有趣。」將門笑出來，「好久沒跟你交手了。」

將門打算拔出長刀。在此，將門停止動作。

「唔……」將門發出叫聲。

他似乎想拔出右手握的長刀，身體卻無法動彈。

「唔。」

看得出將門全身用力。手臂、雙足、全身筋肉都隆起得如肉瘤。

然而，無法動彈。

不是是否過於用力，將門身體在發抖。

「晴、晴明……」博雅說。

「怎麼了？」

「你做了什麼嗎？」博雅問。

「我沒做什麼。」晴明答。

「藤太，趁現在……」

聲音響起。傳自將門口中。但那聲音不是剛才那將門的聲音。

「砍！」聲音說。

「父、父親大人……」說這話的是維時。

將門容貌變化著。半邊臉化爲貞盛。

「藤太！快砍下我的頭顱！」貞盛大叫。

「哇！」藤太拔出黃金丸砍向將門。

噹！

激烈金屬聲響起。

黃金丸彈向一旁。將門右手握著長刀面對貞盛。

他臉上已不見貞盛的臉。

「可惜啊……」將門低語。

原來是將門拔出插在地面的長刀，把藤太砍過去的長刀彈到一旁。

「看，這兒。」

將門用左手食指指著自己脖子根。

「這兒以下是貞盛的身體。不是黃金丸也能砍。」將門笑道。

將門揮下長刀。藤太以黃金丸迎擊。迸出火花。

吱、吱，長刀與長刀互相推擠。

「唔。」

「喀。」

將門和藤太湊著臉龐相對。將門被壓下。

「難道用貞盛的身體壓不過你？」將門說。

藤太以長刀和將門推擠，並像是護著晴明和博雅般說：

「晴明大人、博雅大人，這兒很危險。你們出去……」

維時握著火把望著兩人交手。

雖說此刻是將門的五官，但直至方纔終究是自己的父親。即使臉龐是將門，但身體目前仍是貞盛。

再說──

雖是瞬間，他此刻看見將門的臉回復成貞盛。

「博雅，到外面。」晴明說。

「晴明，你怎麼辦？」

晴明沒作答，只是大叫：「快！」

「明、明白了。」

未等博雅走出，晴明便從懷中取出一張符咒。

左手持符咒，右手指尖貼在符咒上，口中小聲念著咒文。

這時，博雅已走出小屋。

「唔。」

「唔。」

藤太邊推擠邊往後退。並非被壓下，而是主動後退，打算到外面。

晴明在他背後。

「晴明大人，快。」藤太說。

晴明邊念咒邊退走。維時也來到外面。

繼而是藤太和將門，離開小屋於月光中現出身影。

晴明念畢咒文，在左手上的符咒呼出一口氣。

符咒飄然在月光中飛舞。符咒貼在將門額上。

「嗯?!」將門發出叫聲。

將門臉龐又開始變化。

臉頰、額上的肉在蠕動，臉型逐漸變化。五官逐漸變成貞盛。

「維時！你在做什麼！」將門——貞盛的臉說，「快砍下我的頭顱！」

維時拋下手中火把，拔出長刀。

「父親大人！」維時大叫。

他雙手握著長刀奔前。

這時——

響起一陣風切聲，黑暗某處，一根箭疾射而來。

那箭斜穿過貼在將門額上的晴明符咒，自將門額上揭下符咒。

箭穿過符咒，射進一旁樹幹。

「父親大人！」

維時喊著用長刀斬落。

四

夜晚的二條大路，一輛牛車往西前進。

雖說是牛車，拉曳車的並不是牛。是隻巨大、黑色的蜘蛛。蜘蛛有牛那般大。

八隻腳中，有一隻腳失去半隻。蜘蛛是用七隻腳扒地奔馳。

月光照在蜘蛛拉曳的牛車上。

八個蜘蛛紅眸在黑暗中發出駭人亮光。

車輪轉動聲——

頭罩披衣的女子在車內咬牙。

「爲何知道了……」女子小聲自語。

爲何公役知道今晚我們將到小野道風宅邸？

怎麼想，總覺得那絕非偶然。一定事先就埋伏等我們前來。

還是，不僅今晚，而是那些公役一直在監視那宅邸？

儘管如此，爲何潛進宅邸時沒察覺公役存在？

即便藏身暗處，那麼多人不可能都屏氣斂息躲在宅邸內。

一定能察覺。女子不明白其中原因。

難道對方有高手？莫非是淨藏?!女子腦中閃過這名字。

還是——

「晴明……」女子又出聲喃喃自語。

對方是誰暫且無所謂。總之，夥伴讓她逃出來了。

無論如何，此刻夥伴也應該各自逃出了。

還是，仍在交手？有幾人遭公役殺了？或是被逮捕？

話說回來，僥倖能逃出來。

幾個公役雖打算追過來，但遭夥伴阻擋。

因此只有自己一人比夥伴先逃出那宅邸。

然而——

「太奇怪了……」女子低語。

總覺得有事卡在胸中。是什麼事？

是自己此刻正在奔逃這事。是自己輕而易舉便逃出這事。

如果一開始公役就知道他們將闖入宅邸而事先埋伏，如此輕而易舉逃出的狀況很怪。

是陷阱？

應該是。特意讓一人逃走，再追於其後。

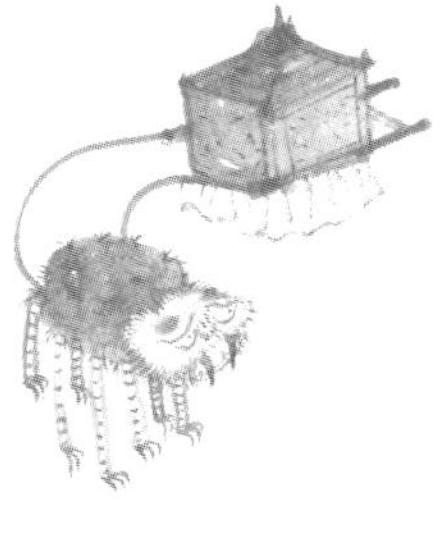

萬一被對方追蹤到居所——

女子在搖晃的車內探查了後方動靜。

探查不出。牛車速度太快。

搖晃和車輪聲令她無法探查後方動靜。

女子口中啣著小竹筒，小小發出嗶聲。

牛車速度突然緩慢下來，不久，牛車停止。

女子掀起垂簾望向後方。

月光鮮明照亮二條大路。後方沒人追蹤。

——是多慮？

剛如此想，女子突然察覺一件事。

不是後方。是前方。她望向前方。果然在。

牛車前方黑暗處，月光照出黑漆漆地蹲踞般立著的某物。

不是兩隻腳。是四隻腳。兩道金綠色光芒浮在半空，正望向這邊。

是野獸眼眸。

野獸雙眸在前方黑暗處凝望這邊。

是隻龐大黑貓。在月光中高高舉起的尾巴先端分爲兩條。

咕嚕咕嚕吼聲低沉如雷——

野獸背上側身坐著個人。

「看來被發現了。」那男子微笑道。

對方只有一人。女子慢條斯理下車。罩著披衣。

「你跟蹤我？」女子問。

「是。」男子點頭。

「你是誰？」女子問。

「賀茂保憲。」男子坐在野獸背上答。

「是陰陽師？」

「差不多。」男子——賀茂保憲點頭，再問：「妳到底是誰？」

「不知道……」

「瀧夜叉姬？」保憲說。

這男人果然在現場。他一定在那兒聽到自己跟道風的談話。要不然怎麼知道這名字？

「有什麼事？」

「想請妳帶我到妳現在將前往的地方……」保憲說。

「辦不到。」

「若要論方法，有很多。」

大概眞有吧。那口氣充滿自信。

「如果妳願意，最好請妳親自帶我去……」保憲說。

這時，聲音響起。

「人家不是說辦不到嗎……」

不是女人聲。女子和保憲望向聲音傳來方向，一旁暗處出現個老人。

破爛水干——任其生長的蓬髮。發出黃光的雙眸。

是蘆屋道滿。

「原來是蘆屋道滿大人……」保憲說。

「保憲，久違了。」道滿說。

「您來做什麼？」保憲問。

「吾人原不打算打攪男女幽會……」

「自道風大人宅邸跟來的？」

「不，是偶然。」

「偶然？」

「也不全是偶然。」

「是嗎？」

「因這傢伙最近特別吵。」道滿微微轉頭示意背後。

一看，道滿後方黑暗中有某物高舉著鐮刀似的脖子。

道滿背後頭上有約十個發出青光的點在搖晃。看似五對野獸眼眸。

咻、

咻、

咻、

咻、

咻、

那某物向半空呼氣。

仔細一看，原來道滿背後高舉著鐮刀似的脖子的是巨大蟒蛇——大蛇①。

而且有五個蛇首。

「牠想從飼養的地方偷偷溜走，吾人沒阻止，跟在牠身後來。上次自然而然碰上師輔。這傢伙嗅覺很好，結果這次碰上你們……」

「是這樣嗎？」

「而且似乎來得正好。」

「來得正好？」

「嗯。」

「什麼意思？」

①此處的大蛇在日文中特指具備靈力的妖蛇。

「考慮中。」

「考慮？」

「考慮要挺哪方才會讓事情更有趣。」

「眞是老樣子。」

「生性如此。」

「您決定如何呢？」

「該如何呢……」道滿將手搭在下巴，歪著頭。

保憲自貓又背上徐徐滑下，立在月光中。

「噢，準備做什麼嗎？」道滿問。

「不，這沙門不擅長打鬥。」

「沙門？」

「是這貓又的名字。」

「噢。」

「這沙門吃食妖物。牠似乎認爲在我身邊可以得到吃食，才跟我如此要好，但不擅長打鬥。」

道滿咯、咯、咯地笑著說：

「那好。」

「好？」

「決定了。」

「決定了嗎？」

「嗯。」道滿點頭，望向女子，低聲說：「去吧。」

「去？」女子以難以置信的眼神望著道滿。

「去吧。這男人不會再追妳。」

「不會追？」女子仍在懷疑。

「是吾人決定的。他若硬要追，只要吾人阻止，他就無法追。這男人沒笨到會做白費力氣的事。」

「您都看穿了？」保憲搔頭。

「去吧。趁吾人還未改變主意。」道滿催促。

女子在披衣內依舊以懷疑眼神望著道滿和保憲。

「快去吧。」說這話的是保憲，「我也不想做讓自己勞累的事。我還有點慶幸在此得到個無法追趕的理由。」

女子邊窺視道滿和保憲邊再度坐進牛車。

嗶——

笛聲響起，咕咚一聲，牛車往前動。

蜘蛛手足各自舞動起來，逐漸加快車子速度。

月光中，女子的車往西漸行漸遠。

目送牛車離去，道滿說：「保憲，抱歉啊。」

「沒關係。」保憲蠻不在乎地說，「還有其他種種手段……」

「想必也是。」道滿愉快地在喉嚨深處笑道，「那吾人走了。」

「是。」保憲點頭。

道滿慢條斯理跨開腳步。

巨大五頭蛇在他一旁高舉蛇首滑溜往前蛇行而去。

「沙門，那是很可怕的人……」目送道滿背影，保憲小聲低語。

不久，女子的牛車和道滿身影都宛如溶於月光與黑暗中，消失不見了。

五

噹！

刀刃發出聲響擊中貞盛額頭。可是長刀並沒把頭顱一刀兩斷。

刀刃在貞盛──不，在將門額頭停住。

貞盛的臉又回復成將門的臉。

「可惜啊。」將門笑道。

「要砍，不能砍頭，砍身體。」藤太大叫，握著黃金丸奔向將門。

成爲將門那人揮舞手中長刀，先砍向維時身體。

察覺此事的維時，往後跳，卻爲時已晚。

將門斜砍過來的長刀尖已砍裂維時身體。

「哇！」維時發出叫聲，仰躺在地。

將門奔過維時一旁。藤太打算追趕將門時，發現維時還有氣息。

藤太在維時一旁駐足。

「維時大人。」晴明也奔向維時。

「是輕傷。」維時說，他按著腹部起身，大叫：「不要管我，快去追家父貞盛——追將門。」

此時，將門正打算奔進森林中。

藉落在地面還在燃燒的火把亮光可見將門背影。

將門雙足在奔進森林之前頓住。

有個左手持弓的男人自森林內走至將門眼前。

腰上佩著一把長刀。

剛才似乎正是這男人用箭揭去晴明符咒。

「祥、祥仙大人……」維時道。

持弓自森林走出的人確實正是祥仙。

然而，那表情已毫無祥仙原有的柔和神情。變得判若兩人。

他雙眸發出異妖亮光，嘴角浮出不祥笑容。

「唔！」祥仙用右手拔出長刀，自貞盛身軀砍下將門頭顱。

嘩！

鮮血四濺，將門頭顱發出沉重聲落地。

收起長刀，祥仙用右手拾起將門頭顱夾在腋下。

祥仙望向晴明、博雅以及俵藤太。

藤太迎著對方視線，叫出聲：「你，你……」

「藤太，久違了。」祥仙說。

「興、興世王?!」藤太瞪著祥仙低語，「不可能，難以置信……」

「藤太大人，這世上會發生各種不可思議的事啊……」

「什麼?!」

「將門的頭顱，我興世王收下了。」祥仙——興世王說。

「什麼？你是興世王？」興世王夾在腋下的頭顱說。

「將門大人，我們等您很久了。」興世王貼著將門的臉道。

藤太仍握著長刀，一副猶豫不決的模樣。
「藤太大人，你的眼神眞駭人……」與世王說，背轉過身。
藤太往前跨出一步時——
「即便輕傷，置之不理的話，維時大人會死。」與世王說。
「祥、祥仙大人，你一開始就……」
「那還用說？」與世王邊說邊後退，「爲了讓將門頭顱在這世上復生，我利用了貞盛的頭顱。」
「如、如月呢？如月大人……」
「本來就是我們這夥的人。」
與世王夾著頭顱正打算往前奔馳時，藤太握著黃金丸奔過去。
「不讓你逃！」
藤太身體往前撲倒。
「嗯?!」
藤太穩住腳步，沒摔倒，望向自己腳邊。
原來有人握住藤太左腳踝。
那是失去頭顱的貞盛身體——左手。躺在地面的貞盛左手握住藤太左腳踝。

「喀！」藤太用黃金丸砍斷貞盛左臂。

此時——

失去頭顱和左臂的貞盛竟然站起，擋在藤太面前。

「貞盛！」藤太砍向貞盛身體。

黃金丸一刀斜斜砍裂貞盛胸部。然而，貞盛沒倒。用殘留的右手抓向藤太。

「唔。」藤太的黃金丸再度斜砍向貞盛胸部。

但貞盛肢體依舊撲向藤太。

「藤太大人！」晴明大叫，「貞盛大人的肢體受人操縱。」

「什麼?!」

「博雅，這邊拜託你了。」

扶起維時，將手貼在腹部傷口的晴明大喊。

「明、明白了。」博雅點頭，往晴明這邊跑過來。

晴明站起身，奔向還站著亂動的無頭貞盛。

他繞到貞盛背後用右手拍了一下背部。

貞盛停止動作。撲通一聲，貞盛肢體倒地，再也不動了。

「呼。」藤太呼出一口大氣。

這時，祥仙——與世王已自現場消失。

「讓他逃掉了。」藤太說。

藤太眼睛望向晴明右手。晴明手中握著一張紙片。

「那是？」

「是貼在貞盛大人背部的東西。」

「貼在背部的東西？」

「您看。」

晴明讓地面還在搖晃細微火焰的火把亮光映在紙片上，以便藤太能看清。

紙上寫著三個字：

靈

宿

動

「可能是剛才與世王砍斷頭顱時貼上的。」

晴明說這話時聽到某種窸窣聲。

藤太和晴明望向聲音的來處。是維時。

維時在博雅懷中正咬牙切齒望著貞盛屍體。

「父親大人……」維時小聲自語。

那自語的聲音變成憋住的啜泣聲。

「我絕不原諒興世王……」維時用一種像是硬擠出來的聲音如此說。

卷十四 幕後皇帝

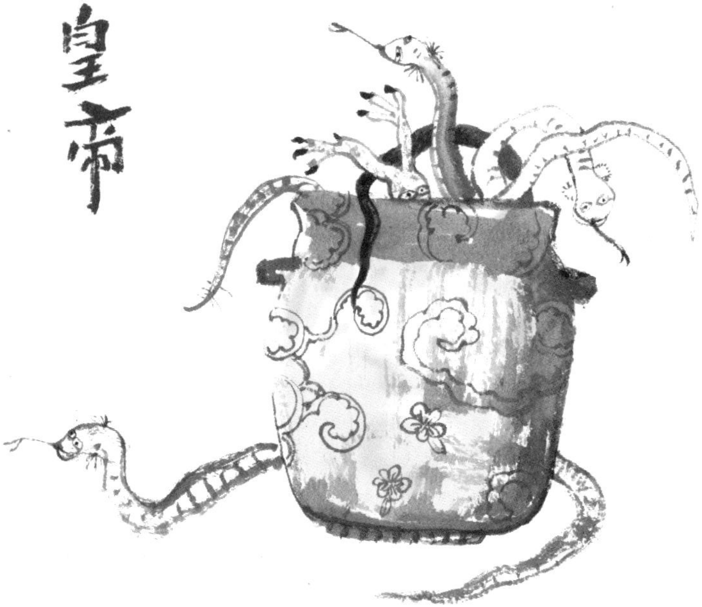

一

牛車咕咚咕咚輾著泥土前進。

已是深夜。

不久前，晴明和博雅離開平貞盛宅邸，沉默寡言地在牛車內搖晃著。

今天眞是多事的一天。

晴明、博雅與俵藤太一起抬維時下山，命在山下等待的隨從送維時至宅邸。

傷口不深，加上晴明應急治療妥當，早已止血。

「不過，不愧是藤太大人，在那種場合依然不慌不忙。」博雅說。

「嗯。」晴明點頭。

藤太分派了各種事。讓一人先奔回宅邸，燒開水，準備寢具，召集人手。

沒頭顱的貞盛屍體不能就那樣置之不理。

何況還有貞盛殺死的燒炭夫婦屍體。

這該如何處理呢？

有關此類問題，俵藤太代維時指示隨從。

「在那種場合，眞是個可仰賴的人。」博雅話中有種實際體會後的感慨。

博雅閉嘴後，牛車前進的咕咚聲掩埋了沉默。

「維時大人實在値得同情。」博雅喃喃自語。

父親貞盛吃了兒肝又殺死進出宅邸的燒炭夫婦。

而且，應該在身邊負責治療貞盛的祥仙背叛了貞盛。加上連如月自始就是祥仙同夥，實在令人受不了。

「維時大人似乎愛慕如月。」

博雅並非希望晴明回話而說這些。晴明也明白這點。

「晴明啊。」博雅喚了一聲。

「什麼事？博雅。」晴明答。

「沒想到那個祥仙竟是興世王。」

「嗯。」

「可是，爲何興世王待在貞盛大人宅邸呢？」

「爲了頭顱。」

「頭顱？」

「他大概想要貞盛大人的頭顱。」

「爲什麼？」

「爲了讓將門大人的頭顱復生於這世上。」

「那種事辦得到？」

「當然辦得到。你不也看到了？博雅……」

「……」

「貞盛大人額上的傷是將門大人砍的。有因緣，咒術比較有效。他利用傷痕上惡瘡塗上佯稱的膏藥吧。」

「塗上？塗上什麼？」

「將門大人頭顱灰。」

「什麼？」

「有人自淨藏大人那兒偷走將門大人頭顱燒掉後的灰吧？」

「唔，嗯。」

「那人正是祥仙大人。」

「……」

「祥仙大人花了十九年在貞盛大人臉上塗上將門大人頭顱灰。」

「可是，十九年嗎？」

「嗯。」

「爲何必須花十九年……」

「博雅，你仔細想想。」

「想什麼？」

「是什麼砍下將門大人頭顱？」

「那是，晴明，不是俵藤太大人的黃金丸嗎？」

「那你應該知道原因吧。」

「原來如此。黃金丸砍傷的傷口不經二十年無法癒合？」

「是的。」

「那表示，什麼……」博雅說到此，發出驚叫：「……難道、難道，晴明啊，興世王打算接起將門大人頭顱……」

「正是如此。」

「可是，即便頭顱復生了，身、身體呢？」

「很可能已準備好了。」

「但是，將門大人的軀體七零八落……」

「表示有人收集了那些七零八落的軀體。」

「興世王?!」

「不知道……」

「我還有不明白的問題。與世王讓將門大人重生，到底打算做什麼？」
「既然將門大人重生了，或許坂東諸國會再度聚集他旗下。」
「什麼?!」
「我只是說說而已，還不知道會不會如此。」
「……」
「提到不明白的問題，與世王大人的事也還不明白。」
「什麼事？」
「俵藤太大人不是說過了？」
「說什麼？」
「他說，那時帶走將門大人頭顱的人，看上去的確是與世王，但仔細想想，某些地方又不像與世王……」
那是回到貞盛宅邸之後的事。
吩咐完畢，好不容易才鬆一口氣時，晴明察覺藤太似乎仍一副莫名其妙的樣子，問他：
「您是不是掛意某事？」
藤太當時回說上述之事。
自那身體冒出的氛圍、動作、說話模樣，的的確確都是藤太所認識的與

世王，表情卻——

「總覺得跟我所認識的興世王不一樣。」藤太說。

原本就是夜晚發生的事。而且火把掉在地上，亮光已很微弱。

並非能夠看清五官的狀況。

「至今爲止藤太大人幾時看過興世王？」

「到坂東去見將門那時。在那之前的興世王我就不認識了。」

兩人如此交談過。

這時——

「晴明大人，賀茂保憲大人遣人過來。」貞盛宅邸下人來報告。

見了使者，對方說：

「主人請您在今晚內登門造訪。」

「既是保憲大人傳喚，不能不去。」晴明點頭，向使者說：「你能不能轉告他，我馬上去？」

「明白了。」使者立即離開貞盛宅邸。

「博雅，你怎麼辦？」

「什麼怎麼辦？」

「要不要去？」

「嗯。」

於是晴明和博雅才告辭貞盛宅邸。

「經基大人說那頭顱不是興世王，而平公雅大人不是說那確實是興世王頭顱嗎？」博雅道。

是牛車內。

「嗯。」晴明點頭，「關於這點，我的看法跟藤太大人一樣。」

「一樣？」

「總覺得莫名其妙。可是，爲何這樣覺得，卻沒法好好說明。」

「晴明，很奇怪。」

「奇怪什麼？」

「現在聽你這樣說，我才察覺一件事。」

「什麼事？博雅。」

「到坂東之後才看到興世王的人，大家都說那不是興世王。」

「……」

「雖然有人說頭顱不是本人，也有人說我們不久前見到的那個化爲祥仙的興世王，不是本人，但大家都認爲那人或許不是興世王……」

「……」

「看到頭顱，說是興世王的人只有平公雅大人。公雅大人大概沒看過坂東的興世王吧？」

「嗯。」

「說興世王有點怪的人是……」

「經基大人、藤太大人……」

「還有別人，晴明。」

「誰？」

「將門大人。」

「……」

「成爲頭顱的將門大人看到興世王時不是說了？」

「……」

「什麼？是興世王？」博雅模仿當時的將門聲音說。

聽到此話，晴明眼中浮出喜悅神色。

「太厲害了，博雅。」晴明叫出聲。

「什麼？怎麼了？晴明。」

「我是說，託你的福，總算明白了。」

「明白什麼？」

「明白我至今想不通的事。」

「……」

「原來如此，原來是這麼回事。」

「晴明，不要一個人點頭，也告訴我吧。」

「博雅，抱歉。可是，有關這事，你和我知道的都一樣。反而能說，你比我更早明白了這事……」

「到底什麼事？」

「仔細想就知道。答案只有一個。」

「晴明，這樣說我不知道，快告訴我……」

「我會告訴你，但再等一下。」

「爲什麼？」

「因爲我們似乎已經抵達保憲大人宅邸了。」

晴明說這話時，牛車也發出煞車聲而停下。

二

洞窟內響起低沉的男人聲音：

娑嚩賀・吽吽吽・薩擔婆野・曩捨野・設咄論・薩嚩・尾訖哩多娜曩・瑟置哩・紇哩・唵

是如泥土煮沸般駭人的聲音。

頂上垂落好幾根岩石，宛如無數條蛇。

火焰熊熊燃燒。

火光映在垂落岩石上，搖搖晃晃。因此蛇般的岩石群看似在空中蠕動。

有個男人坐在火焰前，剛才起便在念《大威德明王大心咒》。

而且並非只是念而已。

本來應該以「唵・紇哩……」爲首，「吽吽吽・娑嚩賀」爲終的眞言，男人卻倒著念。

而應和那男人念的眞言，洞窟四處也有人念著同樣的眞言。

男人面前雖燃燒火焰，但並非只在洞窟內生火燃燒而已。

把大岩石切成爐狀，在爐內燃燒火焰。

火焰另一方有塊更大的岩石，上部削成平面。

平面上仰躺著一具龐大人身。但沒頭顱和右臂。

本來只能稱那具軀體爲屍體，卻因那軀體在動，可知那不是屍體。
配合響徹洞窟內的眞言般，那軀體雙足和手臂都在抽動。
念眞言的男人後方站著個罩著披衣的女子。
坐在地面的男人站起身。是個黑衣男人。口中仍在念眞言。
四周應和那男人眞言的聲音比方纔更高。
娑嚩賀・吽吽吽……
娑嚩賀・吽吽吽……
娑嚩賀・吽吽吽……
站起身的黑衣男人雙手捧著個人頭。
是將門頭顱。
黑衣男人高舉那頭顱。念眞言的聲音格外高。
黑衣男人高舉將門頭顱，繞過火焰右側，移至祭壇般的岩臺那方。
男人口中仍在念眞言。
「噢……」男人雙手中的將門叫出聲。
「是我的身體。是我的身體。那兒有我的身體。」
隨著將門的聲音，臺上的軀體也加快動作。
抬起膝蓋。揚起雙足，發出響聲舉到臺下。

背部與岩石間形成空間。因那軀體往後仰。
看軀體往右扭，接著馬上又往左扭。
「噢，我的身體在高興。我的身體在高興啊。」將門頭顱說。
「娑嚩賀・吽吽吽・薩擔婆野……」黑衣男人大喊。
他邊大聲念眞言，邊將手中的頭顱接至身體該有頭顱之處。
之後按著頭顱繼續念誦眞言。
足足有一時辰——
男人與應和男人聲音的眾男人都持續大聲念著眞言。
黑衣男人停止念眞言。而應和男人聲音的聲音也同時停止。
靜寂。
其間，只聽得到火焰燃燒聲。
男人肩膀上下大幅動著。大概極爲全神貫注念眞言。
男人鬆開按著頭顱的手。然而，頭顱並沒離開軀體。
一步，兩步——
黑衣男人自岩臺前後退。眾人視線均集中在橫躺於岩臺上的人。
岩臺上的男人緩緩晃動左手。不是方纔那種痙攣般的動作。
左手徐徐舉至半空。張開的左手指尖在半空摸索某物般蠕動。

之後，握起拳頭。

「噢……」四周響起歡呼。

將門緩緩支起上半身。上半身坐起了。他用左手撫摩自己的軀體。

腹部、胸部、肩膀——以及頭顱。

「噢，是我的頭顱……」

將門在臺上轉動脖子環視四周。之後望向黑衣男人。

「原來是你……」將門說。

「將門大人，您終於回來了……」黑衣男人道。

「我又回到這悲哀人世了……」將門說。

他雙眸流下眼淚。

三

「原來如此……」賀茂保憲點頭低語。

晴明坐在保憲面前，大致說完今天發生的一切。

時刻已是深夜。再過不久，東方上空將開始發白。

此處是賀茂保憲宅邸——點著兩盞燈火。

話又說回來，今天眞是多事的一天。

首先，到雲居寺造訪淨藏，接著前往藤太宅邸。再和藤太一起到平貞盛宅邸，之後加入維時，越過桂川，去找住在山中的燒炭人岩介。

在該地撞見奇異的將門重生畫面，現在則在保憲宅邸。

晴明和博雅抵達時，宅邸內已並排著熟悉臉孔。

以主人賀茂保憲爲首，雲居寺淨藏，參議小野好古以及俵藤太。

方纔剛在貞盛宅邸與俵藤太分手，爲何藤太先出現在保憲宅邸？

事情是這樣的。

藤太回自己宅邸後，有位使者送來保憲的信，信上寫著：

「能不能請您光臨舍下？」

於是藤太單獨一人騎馬趕到保憲宅邸。

他會比搭牛車的晴明、博雅先抵達，正因爲是騎馬。

「那麼，我也必須說說我這邊的事。」

保憲描述自稱瀧夜叉的女子潛入小野道風宅邸一事。

淨藏和小野好古似乎已聽過了，保憲主要是說給晴明、博雅、俵藤太聽。

「哦，是道滿大人……」晴明聽畢後點頭。

「嗯。」

「那條有五個蛇首的怪蛇令人在意。」

「藤原師輔大人遇難時的怪蛇，也有五個蛇首。」保憲說。

「這麼說來，是道滿大人操縱那怪蛇襲擊師輔大人……」博雅問。

「不，應該不是如此。師輔大人危急時，傳來聲音，是那聲音呼喚怪蛇，師輔大人才得救。」

四周有人在時，晴明對博雅說話的態度自然而然會變得謙恭有禮。

「可是，道滿大人爲何要救那位名叫瀧夜叉的女子？」博雅問保憲。

「這個……」保憲自問般點頭後，向博雅說：「有關那位大人，我認爲最好別想太深……」

「別想太深？」

「那位人物，屬於大自然……」

「大自然？」

「跟風、雨、水一樣。」

「……」

「爲何會吹風，爲何會下雨，爲何水會流動……」

「……」

「思考這些有關大自然的事時，有時對心靈有害……」

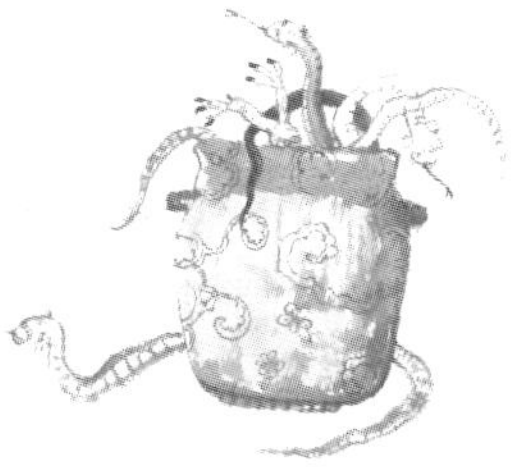

「什麼意思？」
「以沒答案的問題去揣測那男人，會中了那位大人的術法。」保憲說。
「是位有趣，但很難應付的人物。」一直保持沉默的淨藏低道。
聽到此話，晴明紅脣浮出微笑。
「可笑嗎？晴明。」淨藏問。
「不知何時，道滿大人也曾用同樣的話評論淨藏大人。」
「說我很難應付？」
「是。」晴明點頭。
淨藏呵、呵、呵地笑。
「可是，無論如何，道滿大人放走的那女子，令人在意……」博雅說。
「到底是誰呢？」淨藏低語。
「難道是……」
「難道是？」保憲問博雅。
「服侍貞盛大人的祥仙的女兒，如月大人……」博雅說到此停嘴。
「博雅大人，這問題暫且擱一旁。」晴明說。
「唔，嗯。」博雅點頭。
晴明向博雅恭敬行禮，似在請求原諒他中斷談話，再面對保憲說：

「接下來……保憲大人，今晚在這種時刻召集我們這些人，您應該有什麼打算吧？」

「我認爲事情愈來愈急迫。關於在幕後操縱這回事件的人，我總算想到一位人名了……」

「是哪位？」

「等一下再說那人名。晴明，你也應該推測出了吧。」

晴明不回答，嘴角浮出微笑而已。

藤太抱著手腕一直傾耳靜聽眾人的談話。

「小野大人……」

保憲以眼神示意，始終沉默不語的小野好古雙手扶在地板，重整腰部位置，伸直背部。

他是擅長書法的小野道風的兄長，年齡已七十七，在宮中是最故老的一人。

比七十歲的淨藏大七歲。

「晴明大人……」好古說，「你知道今晚我爲何在此嗎？」

「大致知道……」晴明點頭，「我正打算近日去拜訪您。」

「既然如此，你省了那麻煩。今晚我來此地，是因爲必須向大家說各種

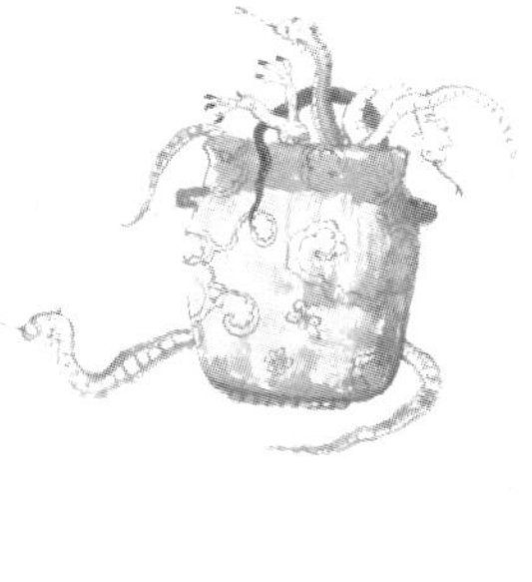

事，這些事之中，晴明大人，應該也有你想知道的事。」

「是。」

「眾多人都過世了。知道二十年前那事的人已不多……」

好古望向淨藏，再望向俵藤太。

「而且其中源經基大人和藤原師輔大人，基於你們也知道的原因，仍臥病在床。」

晴明剛袚除經基所中的咒，但他還無法出門。

師輔則被怪蛇咬傷，傷口還未痊癒，仍無法走動。

「可以說只剩今晚在場的人平安無事……」

好古感慨地歎了一口氣。

「忠平大人也早已過世……」

藤原忠平——是深愛將門，袒護將門到最後的人物，被怪蛇咬傷的師輔是忠平的兒子。

「是位有人情味的人。」

聽好古如此說，俵藤太無言地點頭。

「忠文大人也不在人世了……」

藤原忠文——也是將門之亂那時站在朝廷這方的人物。

「橘遠保大人也早夭……」
好古眼神變得遙遠，視線懸在半空。
幾乎被皺紋埋沒的雙眼滲出發光的東西。
「每位都是二十年前擔任重大任務的人物……」

四

二十年前——
發生將門之亂時，西國也有人舉兵。
藤原純友——是在西國叛亂的人物。
藤原純友是大宰少貳①藤原良範的兒子。是藤原北家長良流的後世。
純友於承平二年（九三二年）任職伊予掾②。
這時期，正值海盜出沒瀨戶內海到處掠奪。擔任鎮壓海盜之職的正是純友。
奉命追捕海盜的純友立即鎮壓了海盜，平定瀨戶內海。
然而——
鎮壓了海盜的純友，之後竟成爲海盜頭目。

①太宰府是奈良、平安時代設於九州北部筑前國（現今日本福岡縣西部），責司外交及防衛的地方官，長官為大宰帥，由親王兼任，實際上由副官大宰權帥負責政務，帥下設大貳、少貳兩官。
②伊予為今愛媛縣，掾為三等長官，負責一般事務。

天慶二年（九三九年），將門在東國舉兵之際，純友也同時在西國舉事。

純友以伊予日振島③爲根據地，將瀨戶內海的海盜組織起來，掠奪官私財物。

備前介④藤原子高父子打算向朝廷報告此事，卻遭純友襲擊殺害。

播磨介⑤島田惟幹也隨後遭襲擊而被捕。

這時，小野好古奉命任職山陽道⑥追捕使。

好古採用懷柔政策。

他和朝廷商討後，打算給純友從五品下官位，讓他安靜下來。

接受官位後，純友看似一度安靜下來。

可是，瀨戶內海只維持了幾個月的平靜。

天慶三年八月，純友再度發難。

純友在短期間占據了伊予、讚岐⑦、阿波⑧。

不但燒掉備中、備後⑨的兵船，十月更擊敗大宰府警備軍。

十一月燒掉周防⑩鑄錢所，十二月與土佐八多郡⑪對戰，並攻擊長門⑫國府和豐前宇佐宮⑬。

相較於起因於內訌的將門之亂，純友一開始便背叛朝廷。

---

③位於今愛媛縣、大分縣間宇和海中。

④岡山縣東南部副長官。

⑤兵庫縣西南部副長官。

⑥臨瀨戶內海一側的大道。

⑦今香川縣。

⑧今德島縣。

⑨今廣島縣東半部。

⑩今山口縣東南部。

⑪今高知縣。八多郡或做幡多郡，位於高知縣西南部。

⑫山口縣西半部。

⑬又稱為「宇佐神宮」、「宇佐八幡宮」，位於大分縣宇佐市，日本八幡神社總本社，祭祀八幡神（農耕神、海神），具有重要的宗教意義。

這時，除了小野好古，鎮壓將門有功的藤原經基⑭也奉命任職追捕使。

純友原本打算攻打朝廷，卻因在東國舉兵的將門已被藤原秀鄉——俵藤太鎮壓，才無法辦到。

朝廷只需將兵力集中在西國純友。

純友以一千五百艘兵船跟小野好古作戰，第二年天慶四年，讚岐之亂的中心人物藤原三辰被砍頭，之後副將藤原恒利也向官軍投降。

純友前往大宰府，占領該地，於博多灣與追捕使對戰。

純友被打敗，逃到伊予，在此與兒子重太丸一起遭伊予警備使橘遠保逮捕，被殺後懸首示眾。

這時，爲鎮壓將門，任職征東大將軍的藤原忠文，重新任職討伐純友的征西大將軍，結果還未在戰場與純友交手，純友便被遠保砍頭。

總之，如此鎮壓了二亂。

鎮壓將門是天慶三年。純友則於翌年天慶四年被鎮壓。

五

「倘若那時藤太大人沒殺死將門大人，如今京城大概已落在那兩人手

⑭即源經基。

中。」好古對藤太說：「可是，雖平定了東西之亂，在那以後不到數年，任職討伐的人都相繼過世……」

逮捕純友父子並砍頭的橘遠保，在鎮壓了純友三年後的天慶七年過世。之後又過三年，征西大將軍藤原忠文過世，兩年後忠平過世。

遠保在宮廷歸程遭某人襲擊慘殺。

全身被刀刃砍傷，頭顱也被砍下，滾落屍體一旁。

忠文則在自己宅邸就寢時，遭盜賊偷襲被殺。

忠文也被砍頭，據說頭顱滾落屍體附近。

忠平也在自己宅邸過世。

前一天還很健康，翌朝，因忠平沒起床，家人前去察看時，發現忠平死在床上。

其餘幾位在將門之亂、純友之亂立功的人物也相繼過世。

「目前平安無事的只剩我們三人……」

此三人是說這話的小野好古，淨藏和俵藤太。

源經基和藤原師輔目前臥病在床。

「關於此，有件事我必須向你們說明。我認爲這是倖存且餘生不多的我的職責，因此今天才來此。」

好古輪流望向藤太、晴明、博雅。

保憲和淨藏似乎已知道好古接下來要說什麼。

「遠保大人砍下的純友頭顱……也許是假頭顱。」好古說。

「什麼？」博雅叫出聲，「竟有那種事……」

「也許眞發生了。」

「好古大人有何證據如此認爲呢？」晴明問。

「我見過幾次生前的純友……」

「……」

「也看了被殺後鹽醃的純友頭顱……」

「不是純友？」

「很像……確實很像，但我總覺得那頭顱不是我所認識的純友……」

好古微微左右搖頭，繼續說：

「很難形容，該怎麼說呢？那頭顱，看上去一副寒酸樣……」

「……」

「好像，怎麼說，好像很害怕的樣子。」好古說畢，點頭又說：「是的。那個純友頭顱看上去很害怕。如果是我認識的純友，即使在被砍頭時，應該不會害怕。他只會憤怒、只會憎恨，但自己臨死時也絕不害怕。這正是

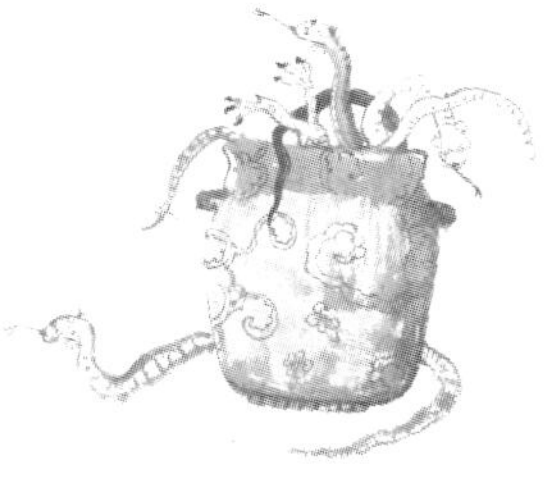

我認識的純友。反之，那頭顱要是帶著笑容，我大概會老實地認爲是純友。可是，那頭顱很害怕……」

「原來如此……」

「但是，沒人說什麼。因大家看了認爲確實是純友的頭顱，我也覺得可能那樣。覺得就算是純友，面臨自己將死時，也會有那種表情。再說，那時好不容易才平定東西之亂。就算我說那不是純友頭顱，也許只是我多心而已。不，應該是多心……」

「您當時認爲如此？」

「嗯。」好古點頭，「至今爲止，我一直卡在心頭。可是，事情已經平息。也沒聽說純友倖存在某處起事的風聲。因此我打算一直藏在內心……」

「結果您改變了主意？」

「昨天，保憲大人來找我。我聽他說了很多。我認爲必須親口將此事說給跟事件相關的各位聽。」

好古用舌頭舔了舔因說話而乾燥的嘴脣。

「假若純友還活著，而這回所發生的諸事幕後有他的影子在，遠保大人和忠文大人的死，或者經基大人，師輔大人以及發生在我身上的事，似乎就有條有理了……」

「換句話說，利用貞盛頭顱讓將門大人頭顱復甦，是純友做的？」

「是的。」好古點頭。

「我完全明白您的看法了。」晴明深深行了個禮。

比起博雅對好古說的話吃驚得無法隱藏神色，晴明則鎮定得似乎早已知道好古將說什麼。

晴明望向淨藏和保憲。

「有關假頭顱，還有一事必須考慮。」

「興世王的頭顱？」保憲說。

「是。」

「你認爲怎樣？晴明……」

「經基大人說，在京城懸首示眾的興世王頭顱可能是假頭顱……」

「嗯。」

「而平公雅大人卻說，那是興世王的頭顱……」

「的確是這樣。」

「若事情眞如經基大人所說那般，那是假頭顱，剛才我說的事也就有道理了。」

晴明是說祥仙自貞盛身體砍下將門頭顱時，藤太向祥仙大喊「興世王」

那事。

懸首示眾的頭顱是假頭顱的話，與世王很可能還活著，改名爲祥仙，接近貞盛。

有道理指的是這件事。

「可是……」晴明對自己說的話發出疑問，「事後，藤太大人向我說，那時一瞬把祥仙看成興世王，但又覺得似乎不是興世王……」

晴明確認般望向藤太。

「晴明大人說得沒錯。」藤太點頭，「他那動作、說話語氣和表情……都是我在坂東看到的那個興世王，但仔細一看，他的臉龐似乎不是我認識的那個興世王。」

藤太向在場的眾人說明那時他內心的感覺。

那時是夜晚，而且已過了二十年。記憶或許會產生變化。

即便興世王還活著，也該老了二十歲。

將以上條件都包括進去，那到底是不是興世王，藤太說：

「不知道。」

待藤太說畢，晴明環視眾人問：

「這事該怎樣解釋才好呢？」

「你是不是有看法？」保憲道。

「有。」晴明坐正姿勢，說：「二十年前在京城懸首示眾的頭顱，跟現在的祥仙，二者雖有差異，但至今爲止有三位大人提出關於興世王大人的眞假問題。」

「嗯。」

「其中，只有平公雅大人說，那確實是興世王……」

「……」

「而說那可能不是興世王的，則是藤太大人和經基大人，雖然一方是頭顱，另一方是祥仙……」

「然後呢？」

「說不知那到底是不是興世王的藤太大人和經基大人，都是在坂東看到他。兩人在判斷對方是不是興世王時，都是以在坂東看到的印象爲基礎……」

「嗯。」

「而平公雅大人沒看過坂東的興世王。平公雅大人看了頭顱，說那是興世王，那是指前往坂東之前的興世王……」

「噢。」保憲發出深感興趣的叫聲。

「是博雅大人讓我察覺此事。」晴明說。

「晴明，你是說，前往坂東之前的興世王跟到坂東之後的興世王，不是同一人？」博雅道。

「是。」

「可是，死後成爲頭顱的興世王，是原本的興世王……」

「是。」

「既然經基大人和藤太大人都沒把握，那不是可以看成完全是兩人嗎？」

「博雅大人，您說得沒錯……」晴明說。

「可是，這樣一來不是更莫名其妙了？」

「是。」晴明先點頭，又說：「或許遲早可以明白，但目前我認爲還是看成眞相尚未大白比較好。」

聽晴明這樣說，淨藏邊微笑邊點頭，向藤太說：

「無論如何，將門大人終於在這世上重生了。」

「看來似乎是如此……」藤太低聲點頭。

「二十年前，您用我下了咒的箭射中將門大人，並砍下他的頭顱……」

「是。」

「直至燒掉將門頭顱爲止，一切都還好……」

「但灰失竊了。」保憲說。

「不過，並非所有灰都失竊。本來就無法自爐內光取出將門大人頭顱的骨灰……」

剩下的灰丟進鴨川，淨藏自己藏了一部分。

「無論偷走的人用何法術，光用失竊的灰並無法讓將門頭顱完全重生。」

「這麼說來，淨藏大人認爲那復生的頭顱還不完全嗎？」

「大概……」

「您是說？」

「對方大概還需要留在我們這邊的灰吧。」

「原來如此……」晴明微笑道。

「讓將門大人起死回生的那些人，到底懷什麼目的？」博雅問淨藏。

「很可能是……毀滅目前的京城，建造新京城吧。」

淨藏說畢，在喉嚨深處打呼嚕般咯咯笑出。

「不管如何，在這之前，他們應該有事要做。」

「什麼事？」

「對還活著的人復仇吧。」淨藏說。

「復仇？」

「對我，或對俵藤太大人……」

「或對我……」小野好古道。

「是說，來暗殺我們之一？」藤太以低沉卻穩定的聲音說。

「假若能報二十年前的仇，自這世上消除阻礙者，順便得到剩餘的灰，世上再也沒比這更方便的事了。」

淨藏的聲音聽起來似乎很高興見到目前的事態。

「話又說回來，藤太大人，」晴明待淨藏說畢，問藤太：「我一直想問您一件事，卻沒機會問。」

「什麼事？」

「有關將門大人身邊那位桔梗夫人。」

「嗯。」

「我曾聽藤太大人說過，將門大人和桔梗夫人之間有位名喚瀧子姬的孩子，她們兩人於將門之亂鎮壓後，結果如何？」

藤太當場坐正姿勢，望向晴明說：

「我來說明。平定叛亂後，主要人物大部分都被捕，其中也包括桔梗夫人和瀧子姬。」

眾多人被判罪刑，其中也有人被判死罪。

關於桔梗夫人和瀧子姬，也有人建議判死罪，是藤太救了她們的命。

桔梗夫人雖負傷，卻還活著。

「我能活到今日，都是託桔梗夫人的福。」

藤太懇求朝廷救助兩人。

兩人能死裡逃生都多虧藤太的力量。

兩人雖得救，卻奉命入佛門。因此，桔梗與瀧子姫決定到甲斐國⑮仁王寺當尼姑。

瀧子姫稱爲如藏尼。然而，兩人住進寺院約一年後——

「瀧子姫——如藏尼突然自寺院失蹤……」

「失蹤？」

「失蹤的只是瀧子姫。」

「桔梗夫人呢？」

「死了……」

「什麼?!」

「瀧子姫失蹤，事後只留下被悽慘砍死的桔梗夫人屍體……」藤太以沉重聲音道。

「之後呢？」

「完全沒消息。」

⑮今山梨縣。

「……」

「沒人知道瀧子姬到哪裡，也沒人知道她下落如何。」

「有人拐走瀧子姬？」

「不知道，什麼都不知道……」藤太咬牙切齒地說。

他懊悔地握緊拳頭。

六

「既然提到桔梗夫人，在此我必須告訴大家一件事。」

藤太握著擱在膝上的雙手壓低聲音說。

「至今爲止我沒對任何人說出，一直藏在內心，今天正是說出的好機會。」

「什麼事？」晴明問。

「將門爲何會變成那種鐵身妖鬼的理由。」

「上次聽藤太大人說，桔梗夫人曾說是興世王幹的好事……」

「嗯。」藤太點頭，伸直背部。「是那之後的事。叛亂結束後，我見了還未前往甲斐仁王寺的桔梗夫人……」

「……」

「那時，聽桔梗夫人說出一件事。」

「可是，桔梗夫人不是說，她不知道與世王用何種方法將將門大人變成妖鬼嗎？」

「是的。她不知道用何種方法。但她知道發生什麼事……」

「什麼事？」

「我正是要說此事。」

藤太不知是不是又想起駭人之事，粗眉皺起，說起那奇怪故事。

桔梗於第二天將動身離開京城前往仁王寺時，藤太到大內山南麓仁和寺⑯探望她們。

桔梗和與將門生的女兒瀧子姬當時身在仁和寺。

藤太在居室與桔梗相見。僅兩人。桔梗命其餘人都退下。

也不讓女兒瀧子露面。

對瀧子來說，藤太是殺死父親將門的人。

她還無法理解藤太與將門，以及桔梗之間的微妙感情。

看到自己母親跟殺死父親的人相見，她會做何感想？

桔梗和藤太相見，勢必會提及將門。若瀧子在場，自然而然會得知眼前

⑯位於今京都市。

這位人物正是殺死父親的人。
不讓瀧子在場，正是基於此理由。
「是妳救了我一命。」藤太說。
「不，我什麼都沒做。藤太大人全憑自己的力量。」
聽到桔梗的聲音，藤太總算察覺自己內心那份感情。
原來如此。
自己今日來此，原來是爲了見這位夫人。原來是想再聽一次她的聲音。
只是想在同樣場所呼吸這位夫人所吸的空氣。
爲了答謝——這只是想見她的藉口。
實際見面後，聽到她的聲音，看到她的臉時，藤太才終於察覺自己內心的感情。
藤太寡言地和桔梗交談。
交談愈多，可知桔梗是個聰明女人。而在一起的時間愈長，愈能明白這女人是個有心的人物。
難怪將門會愛上她——
藤太如此想。也暗忖，乾脆納桔梗爲妾。
他的立場可以這樣做。因他是討伐將門的最大立功者。

勝者納敵方女人爲妾，並非罕事。

然而——

藤太吞下好幾次即將如此說出的話。他不能這樣做。

他是殺死將門的人，對桔梗和瀧子來說是敵人。何況桔梗已落髮。

藤太隱藏住首次察覺的自己內心那份感情。

「送妳。」藤太伸手自懷中取出某物。

是銀製髮簪。

「這是？」

「妳收下。爲了送妳特地請人製作的。雖然已成爲不必要的東西，但緊急時賣掉的話可以換取金錢……」藤太好不容易才這樣說出。

不久，話題大致說完了。藤太正考慮應該告辭時，桔梗說：

「我必須告訴您一件事。」

「什麼事？」

藤太的心臟加快鼓動。桔梗卻說出超乎藤太想像的話。

「是有關將門大人的事。」桔梗的口氣非常鄭重其事。

可是，這天兩人到此已說了不少將門的話題。

藤太在此聊些於京城和將門每次見面時的事，以及一些閒雜話題。

他認爲這樣比較好。

「該不該告訴您此事，我也猶豫了很久。因我認爲這對將門大人來說有損聲譽。將門大人確實因企圖謀叛朝廷而遭制裁。或許您認爲事到如今還顧慮什麼聲譽不聲譽，可是，我還是爲了將門大人的聲譽，在他生前當然沒說出，死後也一直噤口不說……」

桔梗頓口，眼神裡還殘留猶豫，望著藤太。

「請繼續說下去。」

藤太催促，桔梗再度開口。

「這是很難說出口的駭人之事，倘若藤太大人內心，即使只是一點點，還留著對將門大人的感情，或許聽畢後，您會連這點感情也消失殆盡。」

桔梗說這話時，不知是不是口乾，幾度頓住口，呑嚥少量唾液。

「不過，或許也會因我所說的故事，看出這回謀反一事其實不一定出自將門大人眞心。」

「那時，桔梗大人說很可能是興世王慫恿將門……」

「是的。那也因發生過我現在將說的事，我才這樣想……」

桔梗開始講述。

七

桔梗夫人的話

自從君夫人和孩子慘遭平良兼大人殺害後，將門大人沮喪得令人同情。

他幾乎不吃飯，不是向神佛禱告，便是每天如深山野獸般地嚎哭。

我一點都幫不上忙，只是不知所措而已。

因我跟瀧子也一起躲在君夫人遭殘殺的葦津江。良兼大人找到君夫人，抓住她們，我們母女則好不容易才逃開追捕者。

將門大人救我們出來後，我才知道君夫人她們都被發現，並遭殘殺。

而將門大人也告訴我，找到了君夫人和孩子們屍體的正是將門大人自己。

聽說殺法非常殘忍。

每個孩子都被挖出心臟、砍下頭顱；君夫人遭好幾個男人凌辱後，被刺喉嚨而死。

而我和瀧子卻僥倖活著。

我覺得很羞恥，打算自殺，但將門大人阻止我。

「若再失去妳，我活不下去了。」將門大人淚流滿面如此說。

多虧他，我才改變自殺的心意，可是，我到底該怎麼安慰將門大人呢？

唯一能讓將門大人聊以自慰的大概是和瀧子在一起時。

「喂，姬啊，唯有妳，唯有妳一定要比我這個父親活久一點。」

不過，我知道將門大人每天過得有多痛苦。

將門大人逐日消瘦，容貌已判若兩人。

看將門大人那樣子，讓我覺得人太過悲哀時也會死掉。

這跟太悲哀而自殺不同。

是因過於悲哀，由於那悲哀而死。

就在我認為這樣下去的話恐怕活不了幾天時，那男人——興世王來了。

之後，那駭人的事也開始了。

只是，在此我想先說一件事，那時若興世王不在，將門大人也許就那樣消瘦而死。

「啊，將門呀，將門呀。」興世王向將門大人說，「悲哀之王啊，難道你因悲哀而將喪命？不愧是將門，因性子冷酷，連悲哀也冷酷。太偉大了。因自身的悲哀而毀滅自己，只有將門你才辦得到……」

我至今仍記得興世王說的話。

興世王那時看上去很愉快，也像是在笑。

「將門啊，我是來試你的。」與世王說，「只要你通過這試驗，應該可以活下去。若通不過試驗而死，也不愧是將門。這樣也好……」

那時的與世王，在我看來，不是這世上的人。

是非人——穿著人皮的妖物。

「將門啊，活在這世上，不能丟棄悲哀。要以悲哀火焰更加燃燒自己。把悲哀化爲憎恨和憤怒。悲哀會毀滅自己，但憎恨和憤怒，有時可以拯救人。」

與世王在將門耳邊說：「這樣下去好嗎……」他低聲說：「好嗎？將門……」但是，將門大人只是眼神空虛，沒回答。

接著——

「別忘了良兼還活著。」與世王自將門耳邊將此話注入他內心，「凌辱你妻子、殺死你妻子、殺死你孩子的平良兼還活著。」

那時，將門大人雙眸才首次點燃即將熄滅的亮光。

「聽著，將門。」與世王又在將門大人耳邊說，「爲了你，我準備了東西。」

與世王的嘴巴離開將門大人耳邊，將手擱在他肩上，如此說：

「艮位⑰蛇森內有座六角堂。我準備的東西擱在那兒。今晚，你點著一把

⑰東北方，也是鬼門的方位。

火到那兒，看看裡面吧。但是，要單獨一人去。」

與世王又留下一句：「倘若你無法原諒良兼，就去。」

說畢，與世王離去。

之後，當天夜晚——

因我有壞預感，阻止將門大人出門。但將門大人堅持要去。

將門大人腳步踉蹌，步伐不穩。我向他說：

「既然要去，那也沒辦法。但是，至少讓我陪您去，若不要我陪，也請您帶個細心的隨從去。」

「我一人去。」

將門大人單獨一人前往蛇森。我猶疑不決。

該不該叫人追趕將門大人？

可是，我又有點躊躇，若喚人追隨，要是那人在蛇森目睹了什麼……

考慮了一陣子，我下定決心。決定自己跟在將門大人身後。

所幸瀧子睡著了。

剛好外面是滿月，很明亮。

我穿著男人窄袖服，一身輕裝，沒帶燈火跟在將門大人身後。

因我認爲若手上帶燈火跟蹤會被察覺，不帶任何東西去的話應該不會被察覺。

若是平日，身爲女人的我即便跟在將門大人身後也不可能追得上。只是，將門大人那時身體已衰弱，手上又持燈火。我匆忙往蛇森方向趕路，遠方可見將門大人所持的火把亮光。

我放慢腳步，尾隨在將門大人身後。

不久，對面可見漆黑蛇森。

看似將門大人的人影隨火把走進森林。我也跟著走進森林。

那森林本來便因蛇很多才取名爲蛇森，裡面很深，聽說不熟悉的人一旦在裡面迷路，便無法走出森林，會死在森林內。

到那天爲止，我曾路過附近或出門摘山菜時順便進去，但只進去幾步而已，這回是第一次踏入森林十步以上。

話又說回來，在那種不知有無人跡的森林內怎會建有六角堂呢？

難道將門大人上了與世王的當？

有關六角堂這事，我半信半疑。就算有，因地點在森林內，不可能找得到。

這會不會是引誘將門大人於夜晚到森林內的陷阱？

可是，出乎意料地，果眞有六角堂。

走著走著，有個伐去樹木的地方，眼前聳立著漆黑駭人的六角堂形影。

到此爲止，我都仰賴走在前面的將門大人的火光才能前進，但那地方已沒樹木，我靠著將門大人手上的火光勉強可見到那座六角堂。

原來興世王沒說謊。

正面有階梯，將門大人踉踉蹌蹌地登上階梯。到了上面，是窄廊，將門大人面前有扇門。

將門大人右手舉著火把，左手推開門，進入六角堂。將門大人進去後，門便自動關上。

我緩緩挨近。沒登上階梯，走到窄廊旁。

突然——

這時六角堂內傳出類似野獸的可怕呻吟。

那聲音非常駭人。

我差點昏迷，但立即明白那其實不是野獸叫聲，而是將門大人的聲音，才能穩住心慌。

嗚噢噢噢噢嗡……

啊噢噢噢噢嗡……

那是心碎的悲痛叫聲。

那是黯然銷魂，充滿悲哀的聲音。

哭聲一直不停。聽起來又像是喀啊啊啊，噢噢噢。

從聲音可知，將門大人躺在地板滾來滾去，在黑暗中哭泣。

將門大人到底在裡面看到了什麼？

興世王到底準備了什麼東西？

聽著嗡嗡哭聲，我很想走進去無言地摟住將門大人，可是我辦不到。

我很怕進去後看到興世王準備的東西。我總覺得裡面有人不能目睹的東西，人不能與之有關連的東西。

再說，將門大人說要單獨一人來。命我不准跟他來。

這時我若進去——

而且當將門大人知道我看到他以那種聲音哭泣的模樣，不知會作如何想？

將門大人本來就不喜歡在人前示弱。

想到此，我便無法往前跨出腳步。

其次我想到，將門大人何時會自裡面出來。萬一此刻出來，他會知道我在這兒。可能也會知道我不聽他囑咐跟在他身後並聽到他那哭聲。

因此，我決定馬上離開現場。

之後，我幾乎全忘了到底怎樣走出那森林。

我記得樹木縫隙中隱約可見的月亮本來在左邊上方，歸途時，就讓月亮在右邊上方，邊看月亮邊走回去。

沒有將門大人的火光當目標，竟能走出那森林，實在很幸運。

那天晚上，我熬夜等將門大人回來，但將門大人遲遲不回來。天開始亮時，將門大人才回來。

「我一直在擔心。」我鬆了一口氣對他說，「森林內到底發生什麼事？」

「什麼事都沒有。」將門大人只如此說。

之後無論我問什麼，他都不肯回答。

只是，不可思議的是，我不知是否多心，總覺得他步伐比出門前穩定，而且雖僅是些微，他看上去比之前有精神。

那以後，將門大人每晚天黑後便出門。

每次都在黎明才回來。

「您出門到哪裡？」我問。

「蛇森。」將門大人這樣回答。

可是，我問他：「您去森林做什麼？」他總是不肯回答。

奇怪的是，將門大人跟至今爲止一樣幾乎不吃任何東西，卻一天比一天恢復精神。膚色也恢復潤澤，瘦成失去人樣的將門大人軀體也逐漸恢復原狀。

不久，我發現本來便很高大的將門大人身軀比以前大了一圈。

將門大人在蛇森六角堂吃了什麼嗎——

想到此，我全身毛髮悚然，害怕得情不自禁發抖。

他一定在那兒吃了什麼。我深信如此。

我不知道他吃了什麼。但若不這樣想，無法說明將門大人的變化。

可是，到底吃了什麼？

隨著日子過去，將門大人說話措辭逐漸變得粗暴。然後，某天，我察覺一件事。

將門大人左眼有雙瞳。

那大概在將門大人最初到蛇森之後約一個月吧。

那晚也是滿月，因此大約過了一個月。

我決定再度跟蹤將門大人。

雖還是很恐懼，但我更受不了將門大人逐漸判若兩人這事。

跟一個月前那晚一樣。

我跟在將門大人身後走進森林。再度來到那六角堂前。

將門大人舉著火把登上階梯，推門進去。
我躡手躡腳登上階梯，站在門前。
突然——
「噢，噢……」
六角堂內傳出分不清是野獸咆哮還是哭聲的聲音。
「在等我嗎……」
是將門大人的聲音。
「良兌……」
「將國……」
「景遠……」
「千世丸……」
將門大人的聲音在呼喚名字。
那是在葦津江和君夫人一起慘遭虐殺，將門大人的年幼孩子們的名字。
「沙月……」
其次將門大人呼喚的名字是已死去的君夫人名字。
接著，傳出的聲音實在太駭人了。
嘎吱、嘎吱，牙齒啃咬某物的聲音。

喀、喀，牙齒頻頻啃咬某物的聲音。

喀嚓，咬斷某物的聲音。

咯吱、咯吱，牙齒和牙齒互觸聲。

咀嚼某物的聲音。

吞下某物的聲音。

噓、噓，吸吮某物的聲音。

喀哩、喀哩、嘎吱、嘎吱，牙齒咬碎某堅硬東西的聲音。

將門大人在六角堂內吃某種東西。

現在想想，當時我真有勇氣，竟沒逃開。

人碰到過於恐懼的事時，似乎反倒會穩如泰山。

並非恐怖而想逃開，正因爲恐怖，我竟想偷窺六角堂內部。

門上木板應該重疊的地方沒重疊，有好幾條縫隙。我跪著將眼睛湊近其中一條縫隙，窺伺裡面。

之後，我看到將門大人吃的那東西。

起初，我沒立即理解那光景表示什麼意思。

壁上剛好有個可以插火把的鐵籠，正插著火把。

火光令我可看清六角堂內部。

我看到令人全身毛髮倒豎的光景。
在將門大人面前躺著幾個很怪的東西。
而且門板縫隙內傳出刺鼻臭味。
我忍住幾乎嘔吐的感覺，定睛望著六角堂內部。
「將國，這回是你的左臂……」
「景遠，你是肚子肉……」
「千世丸，你這回要給我吸吮眼球嗎？」
「沙月啊，妳是臉頰的肉嗎……」
原來將門大人正在吃從土中挖出的君夫人及四個孩子的腐爛屍體和骨頭。
將門大人吃的是自己的妻子和孩子們。
總計五具。
將門大人不停自雙眼簌簌掉淚，捧起小小屍體說：「噢，將國……」並咬住那已完全腐爛的脖子。
與世王爲將門大人準備的東西，正是自土中挖出的君夫人及眾孩子屍體。
他竟做出這種事。

將門大人邊哭邊吃屍體才恢復健康，也才成爲那種高大身軀。

啊——

我在內心大叫。

啊——

藤太大人，請您譏笑我，我那時很嫉妒邊哭邊啃咬屍體的將門大人以及被啃食的君夫人。

如此，將門大人吃了沙月夫人和孩子們的軀體，才成爲藤太也見過的那種模樣。

左眼有雙瞳——大概是那時吸吮了千世丸公子還未腐爛的眼珠吧？

身高七尺多，本來便很強的腕力也增強倍數以上。

「終於回來了，將門……」

我記得很清楚，興世王這樣對將門大人說。

至今爲止，將門大人確實在平氏一族中爭鬥，但我認爲他毫無謀反心意。

就算有，那也是之後的事，而且是受興世王慫恿——

「將門，你來滅掉這國家。把這國家消除，你來當新王國的皇帝最好。」

興世王如此對將門大人說：

「平氏一族的爭鬥，只要你成爲主人統治這國家，眨眼間就能解決。這才是給過世的君夫人和孩子們的祭奠。」

將門大人聽畢點頭，這時開始，他才認眞考慮平定坂東之事。

之後的事便眾所皆知了。

藤太大人──

因有緣見了您，覺得只有您才能拯救將門大人。

可是，我必須再三說，將門大人會變成那樣，我認爲是興世王造成的。

眞正該憎惡的是那個興世王──

我想，將門大人是受他操縱。

我不知道後世將如何看待將門大人，但我希望藤太大人在內心記住這事，才說這些話給您聽。

我將摒棄俗世入寺院，藤太大人這樣來看我，令我喜出望外。

能見到您，我覺得很幸福。

八

「這是最後一次見到桔梗大人……」

可能想起當時的事，藤太以感慨良深的口吻說。

桔梗與藤太分手後，過了一年多，在寺院遭某人慘殺。

「桔梗大人過世時，正確年月是哪時？」晴明問。

「我在仁和寺見到桔梗大人時，大概是天慶三年五月吧……」

「那麼，過世時是天慶四年的……」

「七月。」藤太說。

「原來如此。」晴明點頭，望向小野好古說：「道風大人看到怪異事，他帶去的那女官被妖鬼吃掉的年月是……」

「天慶四年……十九年前的七月。」好古道。

「噢。」

晴明腦裡浮出百鬼夜行的妖鬼群模樣。

各自持著零零落落的人體一部分的妖鬼群。

賀茂忠行的牛車。

遭妖鬼襲擊、啖噬的隨從。

那是賀茂忠行退出皇宮踏上歸途時發生的事。

確實應該是天慶四年七月左右。

「有問題嗎？」好古問晴明。

「不是。」晴明微微搖頭，沒提起十九年前的事，「我只是想起過去的遙遠歲月……」

淨藏似乎在等談話告一段落，低聲自語：「原來興世王用了旁門左道……」又問：「保憲大人，有何咒術能讓人因吃屍體而變成妖鬼？」

「腦中浮出我讀過的《春秋左氏傳》、《列子》和《莊子》等道家著書以及《山海經》，都想不起來。」

「唔。」

「要將人變成妖鬼，並非全無方法。心靈無法承擔太深的感情或悲哀時，人也會變成妖鬼……」

「可是，要成爲如將門那種鐵身……」

這時，晴明出聲說：「對不起……」

「怎麼了？晴明。」保憲問。

「有關這點，我聽藤太大人描述時，想起一件事。」

「噢。」

「這是不是蠱毒？」

「蠱毒?!」保憲重複晴明說的話。

蠱毒——

和魘魅並稱，是咒人的代表法術。
魘魅是在偶人中放進下咒對方的指甲或頭髮，用釘子釘，讓對方生病，有時導致死亡的咒術。
蠱毒則主要使用毒蟲。
大量捕捉蛇、青蛙、蜘蛛、蜈蚣、老鼠等，關在大缸內，緊閉蓋子。讓牠們在裡面自相殘殺。
若是蛇，只讓蛇去自相殘殺，但也有混合幾類生物的做法。
過一個月或兩個月再打開蓋子。
裡面只剩自相殘殺後的最後一隻。
將這隻當式神用來下咒。
因死去的同類所有精氣聚集在最後一隻，也就可以成爲強而有力的咒物或式神。
保憲本來便熟知蠱毒的事。只是，他不懂晴明的意思。
「晴明，你說蠱毒是……」保憲說到此，停下話，沉吟道：「唔……」
他似乎想起某事。
「原來如此，晴明，原來是這樣？」
「原來如此。」淨藏也點頭，歎息般說，「興世王太可怕了。你的意思

是他在將門大人身上做蠱毒，讓他成爲活式神，再向朝廷放出式神吧？」

「是。」晴明點頭。

「晴明大人，你在說什麼？我聽不懂你們說的話。」小野好古問。

「晴明大人，我也聽不懂。」博雅也跟好古一樣，「我也知道何謂蠱毒，但將門大人跟蠱毒有什麼關係，我還是聽不懂……」

「博雅大人，」晴明面向博雅說，「興世王將坂東之地視爲一個缸，施下蠱毒法術。」

「什、什麼?!」

「讓平氏一族在坂東之地爭鬥，再讓倖存的將門大人吃了孩子和君夫人屍體……」

「自相殘殺？」

「是的。」

「想不到，想不到竟是這種事……」

「我想他可能做了。」

「興世王嗎?!」

「是。」晴明點頭。

「……」博雅說不出話。

「晴明大人，」藤太說，「現在將門在這世上復生，我們該怎麼辦？」
「是。」晴明點頭，卻沒馬上回答藤太的問題，反而問：「藤太大人，假若將門大人再度回東國發出號令，事情會變得如何？」
「他大概無法發動所有坂東武者。平氏一族大多跟將門交過手……」
「有多少？」
「大致一半。」
「那還不至於對朝廷造成威脅。」
「可是……」
「可是？」
「我說不出口。」藤太左右搖頭。
「是陸奧⑱嗎？」晴明道。
藤太一瞬露出吃驚表情，說：
「既然你推測至如此地步，我也沒必要隱瞞了。的確如晴明大人所想那般。」
「陸奧既然住著比坂東更不受朝廷統治的人，將門若舉兵，應該有更多人呼應。我若是將門大人，會先籠絡陸奧再統一坂東，之後再攻打朝廷……」
「噢。」好古叫出聲，「意思是，不能讓將門前往東國……」

⑱日本東北地方。

好古幾乎要站起身，已抬起上半身。

「是。」

「那必須及早找出將門身在何處。」好古求救般望向淨藏。

「該是灰起作用的時候了……」晴明向淨藏說。

「什麼?!」好古視線自淨藏移至晴明。

「若有燒掉的將門大人頭顱灰，應該有各種應付方式。其中之一是得知將門大人身在何處……」晴明說。

「那種事也……」

「雖辦得到，同時也很危險。」

「危險？」

「意思是，我們這邊的……灰到底藏在哪裡，對方也能得知。」

「唔，唔……」好古用一種像是擠出的聲音說。

九

「可是，晴明……」博雅在歸途牛車內說。

「什麼事？博雅。」

「你剛才表情看來很愉快。」

「剛才？」

「你在說……將門大人統治陸奧，統治坂東，之後攻打朝廷那時。」

「看起來是這樣嗎？」

「是的。」

「老實說，沒錯。」

「什麼?!」

「博雅，我啊，老實說，不管朝廷是皇上的還是將門大人的，我都無所謂。」

「你說什麼？」

「或許將門大人比較能建造更有趣的京城。」

「等、等等，晴明……」博雅在牛車內探看有無他人在場般，左右觀看後，望向晴明說：「你怎麼說出這種話？」

「是事實。」

「你有病啊？聽好，晴明，我雖理解你的心情，但，你在我以外的人面前，絕對不能說出這種話。」

「博雅，因是在你面前，我才說出。」晴明紅脣含著微笑說。

「你有時眞的會說出不得了的事，害我每次都聽得爲你捏一把汗。」
「不得了的事？」
「剛才也是。你不是說，將門大人是式神嗎？」
「這又怎麼了？」
「起初我嚇一跳，但你說的確實有道理。可以令人信服。」
「那不就好了？」
「不好。」
「爲什麼？」
「那時我雖沒說出，但倘若興世王視坂東爲缸，進行蠱毒法術一事是事實……」
「唔。」
「那表示……」博雅說到此，閉上嘴，微微左右搖頭。
「那表示什麼？」
「不說了，這事不能說出口。」
「有什麼關係？」
「不好。」博雅說。
晴明凝望著博雅道：「博雅，那我代你說出吧？」

「代我說出？」
「代你說出你現在說不出口的事。」
「你到底打算說什麼？你知道我想說什麼？」
「當然知道。」晴明點頭，若無其事說，「你是說那男人吧？」
博雅驚慌失措：「什、什麼那男人？」
「怎樣？」
「你在說什麼？你爲什麼每次都稱皇上爲那男人？我實在不懂。」
「你說了。」
「什麼?!」
「我只是說那男人而已。我一句也沒提到皇上啊。」
「什……」
「若能視坂東爲蠱毒缸，那麼，這日本國不是也能視爲蠱毒缸……博雅啊，你是不是想說這點？」
「你怎麼說這種話……」
「你說得沒錯。」
「我還沒說任何事。」
「沒關係，博雅，這話只在這兒說。」

「……」

「我們日本國天皇也是利用日本國這個缸，以蠱毒法術而產生的咒本身。」晴明說。

博雅閉嘴。有一陣子，只聽到牛車輾著地面前進的響聲。

「晴明啊，跟你交談時，有時我會像天地倒轉過來般頭昏眼花。至今深信不移看著眼前的一切事物，有時會變成完全兩樣……」

「那不是很好嗎？」

「既然你說很好，也可以說很好，但像今天這般接二連三發生各種事，我就不知道該如何整理自己的心情。」

「……」

「晴明，你說的大概是對的吧。」

「……」

「可是，這世上也有像我這樣的人，要多花一點時間才能理解那所謂對的事。」

「嗯。」

「我有我的速度。別催我。人要是被催促，有時會走錯路。」

「博雅，你說得沒錯……」

「怎麼回事？竟然老實承認？晴明……」

「皇上和蠱毒的事先擱一旁。現在是復生的將門大人比較重要。」

「嗯。」博雅點頭，再度望向晴明，「可是，晴明，你打算怎麼辦？」

「什麼怎麼辦？」

「那灰。」博雅望向擱在晴明膝上的布袋。

「這個嗎？」

是淨藏分給晴明的將門頭顱灰。

「該用在哪裡呢？」

「快告訴我。」

「還沒決定。」

「什麼?!」

「我剛才不是說過了？這個有種種方式可用。我還在考慮該怎麼用……」

晴明道。

十

身高七尺有餘——

那軀體巨大的男人站在洞窟內。全裸。

火光映在男人健壯體表，通紅地搖晃。

是久違二十年後復生的將門。

沒有右臂。

將門用左手撫摩脖子，撫摩胸部，撫摩腹部，撫摩臀部，撫摩雙腳。

撫摩過的地方都有一道紅色抓痕般的線條。

脖子也有同樣線條。

「這是我久違的身體……」

一步，兩步地走著。步伐還不穩。

「似乎連該如何走路都忘了。」

將門四周圍著眾多男人，單膝跪地。

將門以外站立的人，只有站在將門面前那黑衣男人和罩著披衣的女子。

「將門，隔了二十年了。」黑衣男人說。

「興世王?!」將門鬆開摸著脖子的手，望向那男人。

黑衣男人興世王點頭。

「二十年?」將門問。

「是。」

「那以後怎麼了？我方敗了嗎?!」

「沒敗。」與世王說，「將門大人不是如此又復生了？」

「……」

將門岔開雙腳站著，仔細觀看自己身體。之後，仰望昏暗岩石天井，喃喃自語：

「二十年……」

「敵人還活著。」

「敵人？」

「淨藏、俵藤太、小野好古、源經基……」

「噢……」將門叫出聲，「噢……」

「平將賴大人、多治經明大人、藤原玄茂大人、文屋好立大人、平將文大人，平將武大人、平將爲大人，均被砍頭了。」

「什麼……」

「桔梗夫人也過世了。」

「桔梗?!」

「戰爭結束後，她成爲尼姑住進寺院，遭奉朝廷之命的人偷襲……」

「被殺了？」

「是。」

「噢！」

將門左手貼在頭上，抓著長髮。

「噢、噢、噢、噢、噢……」

左右甩頭，發狂般扭著身軀。

「將門大人，既然您在這世上復生，應該有很多人會投奔您。我們將再度舉兵，現在正是洗雪二十年前的恨之時……」

「喀！」

用力吐氣搖頭的將門停止動作。雙眸望著一個女子。

是罩著白色披衣的女子。女子取下披衣。

披衣下出現一張白皙得近乎透明，美麗的臉龐。

女子淚眼汪汪地望著將門。

「妳是……」

「我是瀧子。」女子以顫抖聲回答。

「瀧、瀧子……妳是瀧……」

「久違了，父親大人……」

「噢，是瀧子。是瀧子姬。妳還活著？還活著……」

「父親大人，能再見到您，我很高興……」
瀧子兩步、三步地走向將門。
「還要打仗嗎？」瀧子問。瀧子在將門面前駐足。
「瀧子……」將門雙眼也充滿眼淚。
「我不想再打仗了。不想再打仗了。」瀧子望著將門說。
「將門大人……」興世王說，「您也許有很多話要說，但請先穿上衣服，那邊已有準備。之後，我再告訴您至今爲止的種種事。」
興世王跨前，將手擱在將門肩上，說：
「將門大人，現在先喝點水，好好休息一下。」

十二

「話又說回來，如月大人令人很掛意……」晴明在牛車內說。
「如月大人？」博雅問。
「你記得道風大人說的話嗎？」
「嗯。」
「十九年前，有個怪男人支使妖鬼收集了七零八落的人體。」

「那不是興世王嗎？而收集的不正是將門大人的軀體嗎？」

「大概如此吧。」

「那又怎麼了？」

「那時，不是說有個小女童在場嗎？」

「嗯。」

「那女童看了那些聚集的人體，不是似乎在辨認嗎……」

「嗯。」

「如果那女童是當年自仁王寺失蹤的瀧子姬，你說，事情會怎樣？」

「唔。」

「興世王自仁王寺帶走瀧子姬，讓她辨認七零八落的父親將門大人屍體……有這可能吧？」

「唔、唔。」

「這表示，那時奪走桔梗夫人性命的是……」

「你是說，是興世王殺的……」

「真相還不知道。我只是認為如此。」

「唔……」

「興世王若是祥仙，和祥仙一起的如月大人便是……」

「瀧子姬。」
「嗯。」
「那麼，讓經基大人生病，到藤太大人那兒偷黃金丸，以及這回出現在道風大人面前的女妖……」
「大概是瀧子姬……也就是如月大人。」
「晴明，你說得確實沒錯。坦白說，我也很在意這事……」
「雖沒說出口，淨藏大人、保憲大人，他們可能都心知肚明。」
「我明白了。可是，你剛才說如月大人令人很在意，是什麼意思？」
「我的意思是，這回如月大人也許有性命危險。」
「危險？如月大人？」
「嗯。」
「什麼意思？」
「因爲，對復生的將門大人來說，瀧子姬……如月大人是他唯一的弱點……」晴明說。
「什麼?!」
「明天必須去一趟。」
「去哪裡？」

「平貞盛大人宅邸……」
「去做什麼？」
「去見維時大人，拜託他一件事。」
「拜託他什麼？」
「去了就知道。」
「去了就知道？」
「嗯。」晴明點頭，問博雅：「你去不去？」
「我嗎？」
「嗯。」
「去，去。」博雅點頭。
「走。」
「走。」
事情就這樣決定了。

卷十五　返屍

一

翌日中午過後，晴明和博雅前往平貞盛宅邸——造訪維時。

宅邸爲準備貞盛葬禮而忙碌。

不過，雖說是葬禮，畢竟死法不尋常。貞盛吃兒肝，而且屍體沒頭顱。不能公然舉辦葬禮。

預計在這天私下辦完葬禮。

「等葬禮結束，我打算向皇上報告所知一切。」維時面對晴明和博雅說。

朝廷相關者應該已透過保憲得知此事。

大概是知道內情的保憲和淨藏從中斡旋，公役還未湧進宅邸。

儘管如此，這天還是必須入宮。

所幸維時腹部受的是輕傷。

走路時只要不在腹部用力，短距離慢慢走，傷口不會裂開。

那是由於晴明在現場做的搶救處置有效。

「今天光臨舍下，有何貴幹呢？」維時問。

正是葬禮將開始時。

「我想拜託維時大人一件事……」晴明說。

「是緊急事嗎？」

晴明當然也知道今天是貞盛葬禮之日，明知此事卻又特地趕來，想必是緊急事。

「是。」

「什麼事？」

「這事很難說出口。」

「請說。因父親一事，晴明大人和博雅大人幫了很大的忙。昨天晚上，因爲那件事，也讓二位的生命面臨危險。今天我能夠如此爲父親進行葬禮，雖只是形式而已，也是多虧晴明大人。請您儘管說。」維時挺直背部說。

「今天葬禮結束後，我想請您暫且給我一樣東西。」

「什麼東西？」

「貞盛大人的身體。」

維時一時無法理解晴明說的話。

「您說什麼？」

「請您讓我保管貞盛大人遺體一陣子。」

「父親的遺體？」

「是。」晴明正視維時說。

而維時也正面接受晴明的視線。

不久——

「明白了。」維時下定決心點頭，「要用在何事，我最好不要問是吧？」

「是。」

「我也知道若我問，晴明大人一定不會隱瞞地告訴我。」

「是。」

「請您用吧。因這回的事，我已明白晴明大人的人品。晴明大人會這樣說，一定出於萬不得已。大概眞的需要家父的身體。我知道晴明大人不是爲自己才說出這種請求。」

「……」

「是爲了某人嗎？」

「是。」

「一想到家父做的事，我實在無法拒絕。如果家父的身體於死後對某事有益，父親大概也希望如此做。」

「……」

「晴明大人，請您用吧。您不須說明什麼。」

「很感謝您的貼心。」

「不過，事前我想告訴晴明大人一件事。」

「什麼事？」

「父親本來不是會做出那種事的人。我也不認爲父親是出於眞心而做出吃兒肝的事。若要他吃兒肝，他是會選擇死亡的。」

「是。」

「人心本來就很脆弱。我也不敢說父親內心從未浮出兒肝一事。只是，即使曾想過吃兒肝，貞盛會放棄那想法，他是個能夠選擇爲人之道的人。」

「是。」晴明再度點頭。

「任何人內心都棲息著一顆脆弱心靈，父親會做出那種事，是有人利用這弱點豢養他那顆脆弱心靈……」

維時雙眼溢出眼淚。他沒抹去那眼淚。

「人都很脆弱……」

「是。」晴明以溫和聲音點頭。

「我不原諒利用那脆弱心靈的人。」

維時正面凝望晴明。緊閉雙唇。

「祥仙……」維時低聲說出這名字，「而且我也不認爲如月大人是出於眞心參與那種事。如月大人也是受祥仙——與世王的操縱吧……」

「……」

「我打算親手殺死父親時，因當時還年幼的如月大人那句話，好不容易才打消此主意。如月大人那時的聲音至今仍留在我耳裡。因那聲音，我才獲救。」

維時總算舉起袖子抹去眼淚。他已不再流淚。

二

雲居寺內。

夜晚——

四方圍著帷幕的中央，淨藏和賀茂保憲面對面坐在圓墊上。

兩人之間擱著一座木臺，上面有個銅製火爐。

火爐內熊熊燃燒火炭。

亮光只有炭火光和上空射下的月光。

幾乎無風。

寺內樹葉也不再沙沙作響，鴉雀無聲。

四方圍著帷幕，是爲了不讓任何風吹過來。

「這樣很好。」淨藏像確認有無風吹來般環視四方，喃喃自語。

「是。」保憲點頭。

隔一會兒，淨藏合上握住念珠雙掌，微微動著雙掌。

念珠聲響起。淨藏嘴脣滑出低沉聲音。

孔雀明王咒①——

是孔雀明王眞言。那聲音徐徐震動夜氣。

眞言溶於裹著寺內的黑暗中，令整個黑暗都在微微震動。

「那麼……」保憲低語。

火爐旁擱著個小罐子。

保憲將右手伸進罐子，手指捏出某物。

發白的粉——

是燒將門頭顱時的灰。

保憲將手指捏的灰，撒下少量在燒得通紅的火炭上。

淨藏只是持續念眞言。

天竺之神——孔雀明王眞言作響。

火爐內升起一道煙。無風。煙筆直朝上升。

①又稱佛母大孔雀明王，在以忿怒像為特徵的明王中，是唯一現慈悲菩薩像的明王。一面四臂，騎乘金色孔雀。孔雀明王咒據稱有消除天災、除病延命的功效，對日本密教而言更是有鎮護國家之能的重要咒法。

淨藏念著眞言。

保憲又從罐子內捏出灰，簌簌撒在火炭上。

這時，保憲指尖雖會微微亂了空氣，但煙還是筆直上升。

淨藏和保憲始終持續那動作。

之後——

自火爐上升至三尺有餘的煙，在此刻微微晃了一下。

「來了。」保憲說。

他調整了呼氣方向，避免說話時的呼氣攪亂煙的動向。

聲音既小且低，僅有淨藏能聽到。

保憲也不慌不忙。因爲他不能加快手的動作攪亂空氣。

再度撒灰。

上升的煙在三尺高上空明顯地往橫流動。

不是風。是基於與風不同的力量讓煙流向某個方向。

煙如細蛇在半空蛇行。

「是巽方②。」保憲說。

淨藏仍念著眞言。

「這表示將門身在巽方。」

②東南方。

保憲說此話時，煙改變方向。往別的方向飄。

風呢？保憲轉動視線確認。

帷幕沒在動。樹葉也沒在動。爲何煙會飄向其他方向？

這表示將門在動？可是，就算如此——

「動作太快……」保憲說。

倘若將門在遠方，即便他動一下也不會令煙改變方向。

煙繼續在動。宛如將門在周圍緩緩轉動。

「在附近。」保憲尖聲說。

煙仍在動。

噢啊啊啊啊啊……

夜氣中響起低沉貓叫聲。是沙門。

保憲的式神貓又沙門在正殿屋頂發出叫聲。

煙飄向東北方，停止。

保憲已不再撒灰。他支起單膝，半起身地觀察動靜。

噢嘍嘍嘍嘍嘍嘍……

沙門再度發出叫聲。

「淨藏大人，將門就在這附近……」保憲道。

淨藏停止念眞言，睜開緊閉的雙眼。

「有趣……」淨藏低聲自語。

三

月光下，晴明坐在草叢中念咒。

晴明的低沉聲音乘著夜氣隨風飄走。

此處是晴明宅邸庭院。

源博雅坐在晴明背後的窄廊，自後方眺望晴明正進行的奇怪儀式。

俵藤太在博雅一旁盤坐。

藤太雙手抱著黃金丸，刀柄豎立在自己肩上。

晴明面前擱著八腳桌，上面有幾個咒具。

張開貝殼如兩片葉子的蛤蜊。
裂成兩粒的小石子。
寫著「人」字撕成兩張的紙。
擱著這些物品的八腳桌對面草叢上，橫躺著一具人的屍體。
是沒有頭顱的全裸屍體。平貞盛的屍體。
身體表面寫著大量文字。是晴明寫的咒文。
不是漢字，也不是梵字。是博雅看不懂的文字。
在博雅看來，說是文字，不如說是花紋。
缺乏頭顱和左臂的全裸身體，表面密密麻麻寫滿文字，看不到一寸肌膚，是極為不祥的光景。
「不要看不是比較好？」晴明曾說過。
「無所謂。」博雅如此回答，沒離開現場。
晴明邊念咒邊伸出右手，合上八腳桌上的兩片蛤蜊貝殼。
又念了一會兒咒，晴明這回合上裂成兩粒的小石子，成為一粒。
突然——
橫躺在草叢上的貞盛屍體往後仰，動了一下。
「噢。」博雅在晴明背後發出叫聲，「動、動了。」

晴明彷彿沒聽到博雅的喚聲，繼續念咒。

貞盛的身體痙攣般抽動。

晴明又合上撕成兩張的紙。讓撕成兩半的文字成爲一個「人」字型。

貞盛的身體增強動作，最後終於抬起沒頭顱的上半身。

「……」博雅因太吃驚而發不出聲音。

支著右手，頂著膝蓋，貞盛似乎想站起。

即將站起時，貞盛又放低身子，頂著膝蓋。

死後已有段時間，身體似乎無法自由活動。

但貞盛的身體依舊掙扎想站起。

晴明念咒的聲音更大。

之後，好不容易——貞盛的身體立在月光中。

晴明起身說：「博雅，去不去……」

「去、去？」

「嗯。」

「去、去哪裡？」

「貞盛大人的頭顱……也就是說，將門大人在的場所。我已準備了各種東西……」晴明輕輕拍打自己懷中。

貞盛搖搖晃晃地跨出腳步。

「藤太大人……」晴明呼喚。

「嗯。」藤太手持黃金丸站起。

「走吧。」

「走。」藤太自窄廊走下庭院。

「我、我也要去。」博雅隨藤太之後走下庭院。

「晴明，你打算如何……」博雅問。

「跟在貞盛大人身後……」晴明說。

貞盛已搖搖晃晃跨出腳步。走向門外。

晴明一行人隨後走出大門時——

門外有個人影，不是貞盛。是平維時。

即便映著月光，也看得出他面色蒼白地凝望走出大門的無頭貞盛身體。

「維時大人……」

晴明呼喚，維時沒回應。他喉嚨深處哽著類似含糊不清的呻吟。

貞盛在維時面前搖搖晃晃走去。維時瞪視般望著那身影。

「晴、晴明大人……」維時好不容易才說，「是爲了此事？您正打算做此事？」

「是。」晴明徐徐點頭。「爲了讓貞盛大人帶我們到將門大人那兒，必須要用他的身體。」

維時眼睛追著已死去的自己父親肉體，全裸在月光下前進。

很悽慘也很奇異的光景。

維時的眼神看上去似乎在問——眞有必要讓死者肢體如此走動嗎？

維時轉向晴明。自他嘴脣發出的卻並非責怪晴明的話。

「晴明大人，請您也帶我去。」維時說，「將門大人在的場所……那人也在那兒吧？」

「可能在。」

那人——是如月。

「無論如何我都必須再跟她見一面。」

「……」

「見面後，向那人、向那人……」維時哽住聲音。

「向那人？」

「不是要向她發洩我的怨恨。也不打算問她爲何背叛我。更不是想罵她騙了我而對她拔刀……」

「那……」

「見了她，我必須向她道歉。」

「道歉？」

「她待在我身邊時，不知有多難受？她明明知道總有一天必須背叛我，還待在我身邊，不知有多痛苦？而我竟毫無所覺……」

「……」

「我必須向她道歉。」維時下定決心地說。

「傷口呢？」

「是輕傷。」

「既然如此，我沒理由阻止維時大人。再說……」

「再說什麼？」

「也許如月大人會有性命危險。」

「什麼意思，晴明大人？」

「邊走邊說明，希望只是我杞人憂天……」

說這些話時，貞盛的身體已漸行漸遠。

「追上去。」晴明跨出腳步。

博雅、藤太、維時尾隨。貞盛的身體往東方前進。

「這……」晴明邊走邊自語。

「怎麼了？晴明。」博雅問。
「貞盛大人前往的方向……」
「方向怎麼了？」
「那不是雲居寺嗎？」晴明說。

四

洞窟內熊熊燃著火焰。
火光映在洞窟天井和壁上，奇異地搖晃。
岩石上每個凹凸都看似有個紅小鬼在舞蹈。
與世王和如月在火焰前相對而坐。
兩人剛才起一直在交談，但如月的聲音有點大，從這點看來，她似乎跟與世王談不攏。
「那與世王大人是說，您不知道父親大人去哪裡了？」
「不知道。」
與世王的聲音與有點不耐煩的如月聲音比起來，顯得平心靜氣。
「不過，猜得出。」

「您果然知道。」

「我沒說知道，只是說猜得出而已。」

「猜測也好，他去哪裡？」

「大概是雲居寺。」

「雲居寺？」

「我向將門大人說，淨藏在雲居寺。說淨藏大概持有燒了將門大人頭顱時的灰。我沒叫他去，也沒叫他去那裡做什麼。」

「這跟叫他去不是一樣？」

「不要亂說。妳這樣說，等於在說只要我下令，將門大人什麼都聽我。任何人都無法向將門大人下任何命令，無法任意操縱他。」

「……」

「將門是依將門的心而活。」

「興世王大人正是曾跟我約定好不操縱父親大人，因此我才一直幫興世王大人做事，不是嗎？」

「沒錯。」

「我父親將門既然已在這世上復生，我希望和父親一起離開京城，到別處不為人知地過日子。」

「要是將門也希望如此的話。」

「……」

「無論妳再如何希望，將門若不希望這樣做，妳也無法如願以償。」

「我父親希望的和您希望的不一樣。他不想毀滅這京城……」如月微微左右搖頭。

「是嗎……」與世王微微揚起一邊嘴角。

「父親將門只是上了您的當。只要他恢復原本的父親……」

「恢復的話？」

「……」

「恢復的話，又怎樣？」

「……」

「恢復的話，就能忘掉？就能爲被殺的妻子、被殺的孩子、被殺的一族人雪恨嗎？」

「這……」

「如月，妳又怎樣呢？是這京城的人殺死妳哥哥，也是這京城的人殺死妳母親桔梗夫人。」

「那是昔日的事。」

「難道妳忘了？難道妳忘了那事？別忘了妳母親遇害時，是我帶回在母親身旁哭泣的年幼的妳，把妳養大。」

「……」

「妳愛上他了？」興世王問，「愛上那個貞盛的兒子？」

「……」

「那可是我們敵人的兒子。」

「維時大人並沒殺死平氏一族任何人。」

「將門死去的年幼兒子又怎樣？有誰殺了誰嗎？明明什麼都沒做，將門的孩子還不是被殺了？」

如月聽畢，又閉上打算開口的嘴脣。

她不知該如何回答興世王的問題。

「將門是我畢生的傑作。我辛辛苦苦才完成那般的妖鬼。他可是妖鬼中的妖鬼。」

「果然是您……」

「沒錯。是我讓將門變成那樣。」

「您……」

如月說到此，似乎想起某事，又突然閉嘴。

如月腦中萌生一個疑念，那疑念立即膨脹得很大。
「難道……」
「難道什麼？」
「難道，與世王大人您那時……」
「那時？」
「君夫人……沙月大人和孩子們躲藏起來時，難道是與世王您向敵方密告她們的場所？」
「是又怎樣？」
「原來是您密告了？」
如月問，與世王默不作聲。並非說不出話。而是似乎考慮著某事。不久，他似乎下定決心，簡短說：
「沒錯……」
「爲什麼？爲什麼要做出那種事……」
「爲了在這世上誕生天下無人匹敵的妖鬼。」
「……」
「爲了完成我在坂東之地所下的蠱毒之術。」
「怎麼做出這種事……」

喃喃自語的如月似乎察覺某事，抬起視線望向興世王。

「難道殺死我母親桔梗夫人的也是……」

「是我。」興世王輕鬆道出。

「既然如此，你是我母親的……」

「算是仇人吧。」

興世王緩緩站起。

「那女人讓俵藤太逃走。那時，倘若沒讓藤太逃走，將門也不會被殺。那時，我打算砍死她，卻只讓她受傷而已，並沒死。因此再度奪走她性命。她於死後才總算幫了我忙……」

興世王向如月挨近一步。如月也挺起腰站起。

兩人在火焰前相對而立。

「那女人被殺，而且把罪責推給朝廷，我想妳也會乖乖聽我的話……」

興世王向如月挨近一步。如月後退一步。

「為何對我也做出那種事……」如月邊後退邊問。

問到一半，如月自己點頭。這根本毋需問。

興世王剛才正是為此事而沉默。

如月認為興世王在沉默那時已下定決心。

他打算殺死如月。

「妳好像明白了？」與世王笑道：「如月啊，妳任務已了。對我們的大志來說，妳只會成爲絆腳石而已。」

「……」

「將門還不完全。缺少右臂。我用將門刺傷的貞盛頭顱……也就是用有跟將門關聯的傷口的頭顱，在傷口讓將門頭顱復生了。持續十九年塗上將門頭顱燒成的灰。可是，製作頭顱的灰不夠。將門也許會聽妳的話。妳不在這世上比較方便。」

與世王又挨近一步。如月後退一步，駐足。她已無法動彈。

後方——黑衣男人們堵住洞窟出口，站在後方。

「遲早我都打算這樣做。殺了妳，再說是朝廷的人殺的，將門大概就不得不舉兵了。」

與世王笑道。他浮出笑容，又挨近一步。

瞬間，如月轉身跳向一旁。

她先往旁跳，躲過眾男人的手，再奔向洞口。

「追！」

就在眾男人即將抓住如月時——

洞窟內充滿低沉笑聲。

咯呵呵呵……

咯咯咯……

咯呵……

呵……

如月和追捕她的眾人一瞬停止動作。

身穿破爛衣服的老人搖晃出現在洞窟入口附近。

白髮、白鬍。

「你是那時的……」興世王說。

「蘆屋道滿……」老人報出名字。

「道滿，你打算阻礙？」興世王問。

這時，已有幾個男人擋住如月的去路。

「這女子，是吾人上次夜晚剛救了她。」

「……」

「她遭賀茂保憲追捕時，是吾人插手救了她。」

「這又怎麼了？」

「是吾人特意救了的人。在此地被殺的話，等於不把吾人的術法放在眼裡……」

「什麼？」

「這女子現在被殺的話，事情會變得無趣。」

「這又如何？」

「自賀茂保憲手中救出這女子，現在又在此地自你手中救出這女子，如此就扯平了。」

「什麼?!」

「怎樣？要不要跟吾人交易？」

「什麼交易？」

「你想不想要將門右臂……」

「右臂?!」

「應該沒右臂吧？好不容易將門在這世上復生了，沒右臂的話，那傢伙也起不了作用吧。」

「你持有右臂？」

「嗯。」

「不可能。」

「十九年前，吾人在朱雀門前遇見百鬼夜行。那時，拾到妖鬼掉落的東

西。」

「你拾到將門右臂……」

「是的。」

「……」

「你們剛才的對話，我也聽到了。要是你殺了這女子，吾人會代她說出實情。」

「若把女子交給你呢？」

「吾人會暫不作聲地看熱鬧。」

「要我相信你？」

「這是吾人說的。」

「也好。就相信你。可是，這是第二個辦法。」

「有第一個辦法？」

「現在殺死你，也殺死女子，便沒任何憂慮。」

「是嗎……」道滿雙眼發光。

突然——

興世王背後——洞窟深處，看似有某物蠢動。

看似黑暗在紛紛竄動。

盤踞深處的黑暗，蠢蠢欲動地移動手腳打算爬出。

那是巨大黑蜘蛛。

「竟想做無聊事……」道滿說。

說畢，道滿背後——高處出現點點紅光。總計十個紅光。

那是五對眼眸。而且那五對紅眼正在不祥地搖來晃去。

五

「西、南、東……」

如保憲所說，煙改變上升方向。

那速度加快，煙亂成一團，終於不知道指向哪個方向。

「這很危險。」

保憲如此自語時，突然有人扯下圍住四方的帷幕。

是北邊帷幕——

將門裹著盔甲，黑色身體像被月光淋濕般發著光站在該地。

「淨藏嗎……」將門以摩擦岩石般的聲音低語，「久違了。」

「將門大人。」淨藏仍坐著自語。

「那個，很熱。」將門說，「是說燒我頭顱的那火。沒被火燒過的你大概不明白。」

「是什麼邪法讓你在這世上復生的？」

將門對這發問咯、咯、咯地笑出。

「對你來說可能是邪法，但對我來說根本不是邪法……」

說此話的將門雙眸意外地溢出眼淚。

「為何哭泣？」

「不知道。」將門說。他望向保憲、淨藏。「不過，既然復生了，我只能做我該做的事。」

「什麼事？」

「淨藏，首先要你的命……」

剛說畢，將門便以左手拔出腰上的刀，「喀」一聲對準淨藏頭上砍下。

刀鋒擊中地面。淨藏消失了。

將門握著的刀貫穿紙人，刀鋒插入地中。抬臉一看，保憲也消失了。

「好小子！」

將門自地面拔出刀鋒，朝天狂嚎。

呼——一陣風吹起，激烈搖晃帷幕。

將門眼睛停在腳邊火爐。是燒自己頭顱時那個火爐。

「喀。」將門把刀插在地面，左手高舉火爐傾斜。

呼呼吹起的風捲走火爐撒出的灰，運至黑暗中。

抛出空火爐，將門自地面拔出刀，收進腰上刀鞘。

將門的頭髮隨風晃動。他仰望上空，大叫：

「聽著，你隱形在附近看著我吧。聽著，淨藏！」

將門張開雙足站著。

「自今晚開始，在這京城睡覺的人，每晚都無法安心睡覺。」

將門大叫。

「我不讓任何人睡覺。」

將門邊大叫邊奔馳。眨眼間，將門身影與風一起消失在黑暗中。

六

搖搖晃晃，貞盛身體在月光中踉蹌前進。

他前進的方向是東山，也就是雲居寺方向。

後方跟著晴明、博雅、藤太、維時。

晴明邊走邊向維時簡短說明完自己的看法。

「這麼說來，表示與世王或許會奪走如月大人的性命嗎？」維時說。

「是。」晴明點頭，「復生的將門大人，倘若打算再度做與二十年前同樣的事，大概只有如月大人一人能夠阻止……」

「……」

「而與世王不希望她阻止時，他會……」

「會殺如月大人……」

「之後很可能會佯裝成朝廷所殺，而操縱將門大人吧。」

「唔。」維時發出呻吟。

「話又說回來，晴明。」博雅呼喚。

「什麼事？」

「貞盛大人的身體朝雲居寺前進，表示那邊有貞盛大人的——也就是將門大人在那邊嗎？」

「是。」

「可是……爲何將門大人在雲居寺？將門大人在雲居寺的話，不就表示他瞄準了淨藏嗎……」

「可能吧。」

「唔、唔。」

「假若與世王和將門大人想行事，最礙眼的是淨藏大人和……」

「我吧。」一直沉默的藤太小聲低語。

「藤太大人……」博雅說。

「我已有心理準備。既然將門復生了，這是不可避免的事。」藤太低沉地說，「晴明大人，如果將門在雲居寺，我必須先跑過去守護淨藏大人。」

「那位淨藏大人不可能有事，不過對方既是將門大人……」

晴明說到此，博雅呼喚：

「喂、喂，晴明，貞盛大人他……」

不須博雅說出，晴明和藤太也同時察覺那事。

貞盛的肢體在月光中停住腳步。

「怎麼回事？」

「不知道。」晴明答。

貞盛似乎突然不知道自己該走向哪裡，在原地踏步般搖晃著身體。好一陣子，如此狀態的貞盛終於再度找到自己該前往的地方，又徐徐跨開腳步。

「嗯?!」

「噢。」

晴明和博雅發出叫聲。

因爲貞盛跨開腳步的方向——不是雲居寺，而是其他方向。

七

火爐翻倒滾落地面。

灰已飄散於風中，不見了。

保憲站在火爐一旁，俯視腳邊翻倒的火爐。

「保憲大人……」

保憲後方傳出叫喚。不知從哪裡出現，淨藏已在不知不覺中站在保憲身後。

他緩步挨近，站在保憲旁。

「實在是個可怕的對手。」淨藏低語。

「確實是……」保憲低語。

「若是比較咒術，我們還有種種方式，但將門大人出現在眼前的話，我們就有點不利了。」

「這表示對手是那種既狠心又強力的人時，我們這邊也必須準備具有相當力量的人吧……」
「嗯。」淨藏點頭。
「那法術雖可以讓我們知道將門大人身在哪裡，但對方也會知道我們在哪裡。可是，儘管如此，萬萬沒想到將門大人來得那麼快……」
「很可能在我們即將進行那法術時，將門大人已來到附近。」
「打算向我們復仇？」
「向我復仇。」
「雖聽過風聲，卻沒想到他那般厲害……」保憲自語。
「結果呢？」淨藏問。
「目前沙門跟蹤在將門後。待明白他身在哪裡，應該會回來通知吧。」
保憲向淨藏如此說。

卷十六

鬼哭

一

擋住如月的男人察覺蘆屋道滿背後那凶險動靜，稍微鬆了手。

「喝！」道滿右手動了。

「哇！」

擋住如月的男人之一的右手背插著一根約六寸長的針。男人鬆手。

如月趁機穿過眾男人的手奔向道滿。

「慢著！」

另一個打算追如月的男人，左腳背又插進另一根針。

「吾人可是擅磨的道滿，擅長用針。」道滿說。

這時如月已站在道滿一旁。

「想妨礙嗎？」興世王道。

「你說過要殺吾人，但地獄閻羅王是吾人同胞。去不去黃泉都得看吾人意願。」

道滿說此話時，自洞窟深處出現的巨大蜘蛛胡亂揮動長腳逼向道滿。

突然——

道滿背後那駭人黑影滑溜趨前。

「咻！」

「喝！」

刹那間，黑暗中出現的兩頭怪獸彼此對峙。

「噢……」與世王叫出聲。

自道滿背後出現的是有五個巨大蛇首的大蛇。

「喝！」

「咻！」

五頭大蛇和大蜘蛛彼此吹氣。

「女子，」道滿說，「快逃。這兒吾人幫妳擋住。」

「爲何對我如此？」

「餘興。」

「餘興？」

「爲了打發無聊。再說，上次那晚也是這大蛇爲了救妳主動出走。看來這大蛇喜歡妳。」

「謝謝。」如月踢地奔出。

「別讓她逃！」與世王道。

「噢！」

幾個男人應聲，打算追如月，但大蜘蛛和大蛇在洞口激烈打鬥，男人無法追去。

大蜘蛛和大蛇打了一會兒，難分優劣，不知哪方強，決不出勝負。

這時——

道滿背後的夜森林突然發出聲響。

猶如上空吹下一陣強風，森林的樹都在沙沙作響。

道滿背後出現個巨大動靜的物體。火氣般的風壓逼向道滿背部。

道滿背部毛髮倒豎。

「唔！」道滿發出叫聲，情不自禁跳到一旁。

道滿望向該處，有個身高七尺有餘，身軀的龐大男人站在那兒。

蓬髮長針般往四方伸展。鐵身。是平將門。

「太遺憾了，沒吃到淨藏那小子。」將門大喊。

將門雙眼望向站在洞窟入口旁的老人，繼而探看洞窟內。

「發生什麼事？」

將門說此話時，大蜘蛛和大蛇的打鬥發生變化。

五頭大蛇突然停止動作。

牠不理大蜘蛛的攻擊，主動背轉過身。

高舉五個蛇首往洞窟外蛇行。蛇行方向前方是將門。

「噢！」將門看著蛇行出來的大蛇，叫出聲。

大蛇又挨近將門。將門沒動。

「原來是你……」將門低語。

大蜘蛛纏在大蛇背部，但大蛇依舊挨近將門。

「原來如此、原來是這麼回事……」將門邊自語邊伸開左臂。

瞬間，在任何人眼裡都看成大蛇撲向將門。

但不是。大蛇纏在將門身上扭來扭去，用鱗片磨蹭將門。

道滿看得目瞪口呆。

將門以左手抓住纏著大蛇的大蜘蛛腳，硬把大蜘蛛自大蛇身上扯開。

大蜘蛛後退。

將門瞪著大蜘蛛，左臂摟著大蛇。

「噢，原來你平安無事？原來你平安無事？」

大蛇立即在將門左臂中變形。

「噢！」觀看的興世王發出歡聲。

五個蛇首變成五根手指。粗蛇身變成手臂。

將門左手握著一條巨大右臂。

「是我的手臂。」

將門將那手臂根合在右肩，合住部位的肉霍地動了一下，手臂根的肉看似吞下肩膀的肉。

「噢，動了、動了。」

新的右臂和右手、手指都在動。

將門確認了好幾次動作。右臂比左臂粗壯一倍以上。

「這力量太厲害了。」將門仰天呻吟般說，「有道新力量自這右臂滾滾注入體內。」

將門不勝感激地揮舞右臂。嗡地發出擊打空氣的聲音。

「道滿，感謝你。」走出洞窟的興世王說，「沒想到你帶來的那大蛇竟是將門大人的手臂。」

道滿聽後苦笑，搔搔頭說：

「那是吾人養育了十九年的東西。果然是將門的手臂。」

「這麼一來，道滿大人，這兒不需要你了。」興世王笑出。

「將門大人，」道滿不理興世王，呼喚將門，「我想告訴你一件事……」

但道滿無法把話說畢。

「別讓道滿活著回去！」

隨著興世王大叫，眾人拔刀撲向道滿。

「將門大人，那男人是我們行事時的絆腳石，請對付他……」興世王說。

「明白了。」

至此一直站在原地的將門瞪大雙眼，望向道滿。

將門動了。

二

一行人走在山中。不久前經過西京進入山中。

眾人讓貞盛肢體自行前進，跟在他身後走。

進入山中後，因不能僅仰賴月光，藤太點燃事前準備的火把。

藤太舉著火把帶頭前進。後方跟著晴明、博雅、維時。

貞盛的步伐很慢。

有時摔倒而趴在地面，撞到樹木後則繞過樹木，再慢條斯理往山上爬。

本來就不是走在山徑上。跟在身後的人也覺得很費事。

「博雅，怎麼辦？」晴明問博雅。

「什麼怎麼辦？」

「要留下來嗎？」

「留下來？」

「沒想到來到這麼遠。」

本以爲就快到了，快到了，走著走著，不知不覺竟進入這深山內。

完全推測不出還要走多遠。

「我也不知道再走下去會發生什麼危險。」

晴明是對博雅說，單獨一人留在此地等天亮再下山如何？

「我當然要去。」博雅說，「無論發生任何事，我都要去。」

「好的。」晴明點頭。

貞盛還在往上爬。雲居寺到底發生了什麼事？

不久前，將門確實身在雲居寺。之後，將門移動地點。

而貞盛也追著移動的將門，本來往東又改成往西。

淨藏大人不是會輕易喪命的人——

眾人相信了晴明說的話，未前往雲居寺，決定跟在貞盛身後。

「這法術只有今晚有效，天亮後，貞盛大人也不會再走動。」

換句話說，若錯過今晚，下次就不知何時才能再尋找將門居所了。

這時——

「誰?!」藤太發出低沉聲。

他把火把照向前方。眼前是貞盛的裸背。通紅火光在那背上搖晃。

藤太用火把想照看的是貞盛前方。是貞盛目前正要走過的右邊大岩石後。

貞盛穿過大岩石旁。藤太卻在該處駐足。

他停在大岩石前用火光再往前照。

藤太左手握著火把，右手拔出腰上黃金丸。

「出來。」藤太舉起黃金丸說。

然而，沒人自岩石後出來。

「不出來，我連岩石都砍。」藤太再度說。

「現在就出去。」傳來的是女子聲。

眾人還來不及吃驚，岩石後已出現個女子。

火光中有張緊張女子臉龐。

看到那女子臉龐，有人在藤太後方驚叫：

「如月大人……」是維時。

「維時大人……」女子也呼喚維時名字，之後閉上雙唇。

維時自藤太後方趨前。
「如月大人……」
為了不跟維時對看，如月別過臉。
「原來您平安無事。」如月望向別處說。
「妳也沒事嗎？」維時想將手擱在如月肩上時，呻吟了一下。
「刀傷不要緊嗎？」如月問。
「是輕傷。」
「我沒臉見您。」
「妳這是在說什麼。」
「剛才經過岩石前那位沒頭顱的人是？」
「是父親大人……」維時忍住非傷口的其他痛苦，擠出聲音。
如月的臉轉回到維時臉上。兩人在火光中相望。
別開視線的是如月。她跪在岩石前，說：
「維時大人，請您在此殺了我。」
「妳在說什麼？」維時也跪在如月前。
「是我們令貞盛大人成為那模樣。」如月再度抬臉望著維時。
維時承住她的視線。維時凝望如月的雙眼，突然溢出眼淚。

「怎麼回事？維時大人爲何流淚呢？」

維時沒回答如月的問題，他說：「對不起……」

如月不明白維時說的意思。爲何維時向自己道歉？

雖並非道歉便能了事，但眞正該道歉的人不是自己嗎？

「妳一定很難受吧？」維時說，「明知總有一天必須背叛我，還待在我身邊……這是多麼痛苦的事啊……」

維時在哭泣。

「請妳原諒我。我不但沒察覺妳的痛苦，也救不了家父貞盛……」

「維時大人，我是令您的父親大人成爲那模樣的始作俑者……」

說到此，如月哽住，低聲嗚咽起來。

「維時大人……」

如月小聲呼喚這名字，首次放聲大哭。嘔血般的哭聲。

站在兩人一旁的博雅抹去濕潤了自己眼角的東西。

「如月大人，妳爲何在這裡？」晴明問。

「我是逃出來的。」如月剛說出，藤太以低沉聲自語：「有東西過來了。」

藤太銳利眼神凝望斜坡上方。

昏暗山中，有物體紛亂蠕動。也有點點發出紅光的東西。

是八隻眼睛。

三

「是追趕我的大蜘蛛。」如月說。

「是上次襲擊我的那傢伙吧。」藤太高舉火把站到前面，「既然會襲擊昔日主人如月大人，可見無論再如何大，蟲終究是蟲。」

藤太止步，將手中火把擱在附近岩石上，右手拔出黃金丸。

「這兒我來設法解決，大家別亂動……」

藤太右手握著黃金丸，挨近身體有牛那般大的大蜘蛛。

「那大蜘蛛會用前肢捕狼，連骨頭都吃下。請小心。」如月在背後說。

「明白了。」

藤太沒因如月的話而畏縮，逐步挨近大蜘蛛。

大蜘蛛在黑暗中試探藤太樣子般，左右蠕動前肢。

似乎用四根後肢站著，四根前肢浮在半空地探看藤太的動作。

四根前肢中，左方最前面的腳中央被砍斷。

是被藤太用黃金丸砍斷的。

那傷口滴落綠色液體，濕潤了大蜘蛛的體毛。原來黃金丸砍的那傷口還未痊癒。無論人、野獸或妖怪，只要遭黃金丸砍傷，二十年無法癒合。

大蜘蛛似乎知道前方逼近的人是誰。

是那晚砍下自己前肢的男人——

藤太逐步趨前。大蜘蛛逐步後退。逐步。逐步。前進。後退。

不久，藤太深入火把亮光照不到的森林內。

突然——

喝！大蜘蛛以截然不同的速度撲向藤太。

「喀！」

藤太口中發出銳利呼氣，黃金丸閃閃映著火光在黑暗中一晃。

撲哧，有反應，響起沉重物體落地的聲音。

咚，有人臂那般粗的大蜘蛛右前肢落在藤太面前。

前肢落地後仍在亂動。

事情還未結束。大蜘蛛不畏縮地再度撲向藤太。

跳向一旁的藤太絆到樹根，仰天摔倒。大蜘蛛撲上去。

「藤太大人！」維時大叫。

罩住倒地藤太的大蜘蛛停止動作。

藤太上方的大蜘蛛抽搐著剩餘的腳。

維時取起擱在岩石上的火把奔過來。晴明、博雅、如月跟在後面。

維時用火把映照，看見大蜘蛛頭上長出個發光物體。

是黃金丸刀尖。

黃金丸自大蜘蛛下巴往上斜斜貫穿了頭部。

長出角般的刀刃左右晃動。大蜘蛛身體咚一聲下沉。完全停止動作，只剩長腳在痙攣。

藤太自大蜘蛛下爬出。

「沒事嗎？」維時問。

「小問題。」藤太站起說。

身上衣服被大蜘蛛體液濡濕，發出羶腥臭味，但藤太自身似乎沒受傷。

「走吧。」藤太說。

「走？去哪裡？」如月問。

「去將門大人那兒。」晴明答。

「我父親……」

「是。」

「知道他在哪裡嗎？」
「我們請貞盛大人的身體帶路。」晴明說。
「如月大人，妳和維時大人留在這裡……」藤太說。
「爲什麼？」
「妳剛才說是逃出來的。而且追趕妳的是應該同一夥的大蜘蛛。雖不知發生什麼事，但可以猜得出妳大概跟興世王一夥人失和……」
「不，我也一起去。」
「什麼……」
「請讓我一起去。我父親將門若在那裡……」
「……」
「我來帶路比跟在貞盛大人身後走要快吧。再說，我有事必須告訴大家。」
「那麼，我們邊走邊聽妳說。」晴明道。
「感激。」如月行禮。
這時，有個東西發出細微聲自如月懷中掉地。
是根裝飾著珊瑚的銀簪。
「噢。」藤太發出叫聲，左手拾起銀簪。「這是？」藤太仔細觀看手中的簪子。

「是我的簪子。」

「這是我二十年前送給桔梗夫人的東西。」藤太說。

「眞的？」

「妳們前往寺院之前，我和桔梗夫人曾兩人相聚過。是那時送她的簪子。」

「那麼您是……」如月提高聲音。

「我是？」

「這是我母親桔梗的遺物。我母親被殺時也帶在身上，對母親和我來說是很重視的東西……」

「噢……」

「母親生前經常取出觀看……」如月懷念地說。

「這是對我來說很重要的人送我的。」桔梗曾向如月如此說。

「是父親大人？」年幼如月這樣問，但桔梗微微左右搖頭。

「到底是哪位呢？」

「任何人都至少可以在內心懷著一個祕密。」

桔梗如此說，沒說出是誰送給她簪子。

「母親大概無法對我說，這簪子是砍下我父親將門頭顱的藤太大人送的。她說不出愛慕的對象是我的敵人這事吧……」

「桔梗夫人……」藤太雙眼淌下一串眼淚流至臉頰。

「殺死我母親的是興世王……」如月說。

「什麼?!」藤太大叫。

「太狠了……」博雅宛如目睹那光景，別過臉低聲自語。

這時——

應該躺在地面無法動彈的大蜘蛛又抽動起來。

大蜘蛛蠕動著剩餘的腳站起。

「到我身後……」藤太庇護其他人，站到前方。

然而，站起的大蜘蛛沒撲過來。

牠頭部已遭黃金丸貫穿，似乎無法判別誰是敵方誰是友方。

大蜘蛛身體搖搖晃晃地消失於森林黑暗中。

「若是一般傷口，那大蜘蛛可以立即痊癒，是隻砍斷腳可以長出腳，砍斷頭顱可以長出頭顱的妖物。既然遭黃金丸砍了，已沒法痊癒。遲早會流光那綠色體液，在山中某處喪命吧……」如月說。

「我們也走吧。」晴明道，「剛才我也說過了，邊走邊聽妳說。」

「是。」如月點頭。

四

將門如暴風雨般揮舞長刀。

「是大長刀！」道滿在奔逃。

即便躲過刀，刀風也會捲襲道滿。道滿低頭躲過將門的大長刀。

刀鋒橫掃過道滿頭上。道滿頭髮追趕那刀鋒般隨風甩動。

將門的刀自下而上。道滿跳到後方躲過。

道滿身上裹著的衣服下襬追趕朝天奔馳的刀鋒般，唰地往上飄動。

即使躲在樹幹後，將門的刀鋒也會砍倒樹幹。

有人體那般粗的樹幹竟被將門的大長刀砍斷。

那樹弄響了周圍樹枝，嘎吱倒下。

想逃也沒時間背轉過身。道滿喃喃自語：「太可怕了，將門。」

因將門的大長刀如暴風雨不停揮舞，旁人無法參與戰鬥。

將門揮舞的大長刀，無論敵方友方，只要跨進刀身可觸及的距離內，都不留情地砍斷。

道滿背部有株粗杉樹幹。他沒法往後逃。將門在前方。
無論逃往左方或右方，將門揮過來的大長刀速度更快。
道滿無法先動。只能等將門先動後再逃。
可是，若眞的目睹將門的刀鋒動了後才行動，則太遲。
只能趁將門肌肉內部動起那瞬間逃走。
當將門肌肉內部的動作傳至外面後才行動的話，會被刀身追上。
將門不動。道滿也不動。
「傷腦筋。」道滿喃喃自語。
道滿搔著頭。瞬間——
唰！將門動了。他將手中的刀自正面刺向道滿。
喀一聲，將門的大長刀刺進樹幹。
不是刺進道滿的肉。是刺進道滿背部那株杉樹幹。
自刀尖起約一尺半的大長刀鑽進杉樹幹。
道滿逃掉了。逃往上方。「喝！」道滿的身體浮在半空。
「喀！」將門用力硬拔出潛進樹幹的大長刀。
拔出後，道滿的身體竟飄然落在那大長刀上。
原來道滿站在將門雙手握著的大長刀上。

「唔。」

道滿向將門抿嘴笑著。

「將門大人，如何？」道滿說，「跟吾人談一下吧。」

道滿在將門握著的大長刀上說道。

「談？」

「這回的事，都是興世王幹的……」

「興世王？」

「平氏一族的爭鬥或許是平氏諸人擅自發動，但之後的事可不同。」

「怎麼不同？」

「你們每個人都被幕後的興世王操縱了。」

「你說什麼?!」將門道。

「別聽他的話。那個道滿是妖術師，說愈多愈會上他的當。」興世王說。

「上當的人是將門大人你自己。雖然這樣對吾人來說比較有趣……」道滿在大長刀上笑道。

「話雖如此，但人本就隨時在上某人的當。人若不受某事誑騙，本就活不下去。」

道滿咯、喀、喀、喀地笑出。
「受什麼誆騙……」道滿說。
道滿咯咯笑。「金錢嗎？」道滿呵呵笑。「女人嗎？」喀喀喀。「憎恨嗎……」哇哈哈——
「哇！」將門揮起大長刀。
道滿的笑聲隨他浮上半空。
因道滿的身體順著往天奔馳的大長刀力道也躍至半空。
打算朝落下的道滿揮舞大長刀的將門突然停止動作。
原來跳至半空的道滿用右手抓住頭上伸展的樹枝，掛在樹上。
「將門，舞吧、瘋吧，遭人誆騙地舞蹈吧。」道滿掛在樹梢說。
將門右手握著大長刀在底下仰望道滿。
興世王走到將門一旁並立。
「眞是個怪人。」興世王仰望道滿笑道，「殺掉可惜。像你這樣的人只要願意，明明可以和我們傾覆這天下……」
「哼哼。」
「對天下懷有大志的才是人。像你這種只是潛在黑暗觀望天下的，不過是妖物而已。」

「沒錯。」
「道滿，既然如此，你乾脆以妖物身分爲我們做事，如何……」
「吾人不服侍任何主人。」
「那以賓客身分如何？」
「可以考慮。」
「什麼意思？」
「等我參觀了你們如何撐過此刻，吾人再回答你。」
「撐過此刻？」
「嗯。」
道滿回答後搖晃身子，搖著樹枝飄然反彈至樹枝上。
「來了。」道滿說。
毋需道滿提醒，與世王也已理解道滿說的意思。
與世王望向一旁。一旁黑暗中可見火把亮光挨近。
自森林黑暗中出現的是身穿白狩衣的晴明，以及腰上佩著黃金丸的藤太。
藤太舉著火把。
「晴明，你總算來了……」道滿在樹上說。

月光自天而降，晴明也能看見樹上的道滿。

「這回您似乎做了不少事，是不是累了才在樹上休息……」晴明招呼。

「我現在要開始作壁上觀。吾人讓大家都能看清楚吧。」

道滿伸手自懷中取出某物拋下。

那某物落在堆積於洞口附近的柴薪上，點燃小小火苗。

火苗立即增大，堆積如山的柴薪整個燃燒起來。

「這樣就能看得一清二楚。」道滿在樹上說。

這時，晴明和藤太已與興世王、將門兩人相對。

「藤太，你終於來了。」將門高興地說。

剛說畢，將門便揮下右手舉的大長刀。

藤太拔出黃金丸抵住自正上方落下的大長刀。

發出噹的一聲，火花四濺。

「這只是試試而已。」將門說。

「那就好。」藤太說。

「什麼？」

「攻擊太軟弱，害我以爲你力量衰退了。」

「哪裡。」

聲。

「哪裡。」

將門揮舞大長刀。藤太接招。噹、噹。響起大長刀和黃金丸用力交擊

火焰熊熊燃燒。通紅火光映在兩人臉上。

將門和藤太都在笑。露出白牙。

「藤太，很愉快。」

「將門，很好玩。」

藤太已拋下手中火把，雙手握著黃金丸和將門交鋒。

剩下興世王和晴明對峙。興世王背後約有十個黑衣男人。

「祥仙大人……」晴明以清爽聲音說。

「什麼事？晴明。」

「我早就覺得你很可疑，沒想到祥仙大人竟是那位興世王……」

「是上當的人活該。」興世王說。

剛說畢，背後的男人之一動了。

他揮起右手握的長刀打算砍向晴明。就在此時——

一根箭射中那男人大腿，男人撲前倒地。

「請小心，森林中有弓箭對準你們。」晴明說。

是維時。維時躲在森林中用弓箭掩護晴明。
一旁，將門和藤太仍在武打。
「喀！」
「噢！」
噹、噹，藤太把將門襲來的刀身掃到一旁，躲向右邊，「喀」一聲反向將門砍過去。
發出「嘎」一聲。藤太砍過去的黃金丸無法砍傷將門。
「好癢啊，藤太。」將門露出白牙。
在一旁觀看的晴明伸手自懷中取出一個小布包。
「請用這個。」晴明拋過去。
藤太在半空接住。是個小錦袋。

五

「喝！」將門趁機砍向藤太。
藤太伸往半空的手差點被砍斷。
將門砍過來的刀尖切破藤太抓住的袋子。袋子內白粉四濺飄散於夜氣中。

「這是什麼?!」藤太邊躲開將門的攻擊邊大叫。

「把粉撒在黃金丸上打。」晴明說。

藤太邊逃過將門的長刀邊揮著左手握著的袋子，在右手握著的黃金丸刀身撒粉。

黃金丸已因不久前砍的大蜘蛛血脂肪而變得滑溜，粉貼在那黏液上。袋子馬上空了。

「這樣就行嗎？」

「可以。」

聽到晴明聲音，藤太立即拋出手中袋子，再度雙手握住黃金丸。

「喝！」

「喀！」

刀刃交鋒，分離時，藤太「呀」地砍向將門。

有切裂的反應，將門右上膊的肉裂開。黃金丸砍傷將門的肉。

「哇！」將門大叫。

將門第一次被刀刃砍傷。

「藤太，你、你做了什麼？」將門右上膊流出鮮血。

「是灰。」晴明答。

「什麼?!」

「我從雲居寺要來將門大人頭顱燒成的灰。」

「是淨藏？」將門低吼出這名字。

「黃金丸若沾上頭顱燒成的灰，當黃金丸觸及將門大人身體時，身體會認爲那是自己一部分而接受那灰……」

此時，黃金丸的刀刃也就會切開該處——

儘管如此，一般長刀還是無法砍傷將門，因是黃金丸才辦得到。

「可惡！」

「將門，這下勢均力敵了。」藤太道。

「也好。」將門點頭。

「喀！」

「噢！」

將門和藤太繼續交鋒。

六

其間，維時手持弓走出森林。

「維時大人……」晴明呼喚。

箭搭在弓上，維時拉著弓，壓制黑衣男人的行動。

「一次只能射中一人，別畏縮！」興世王大喊。

「不管誰先動，其次這箭射的是你。」

維時將搭在弓上的箭對準興世王。

「祥仙——不，興世王，你眞有臉誆騙了我們。射你時，我不會對準你的手足。我會射穿你胸部。」維時道。

然而，興世王毫不畏縮。

「維時大人，您臉上浮出黏汗。是不是腹部傷口裂開了？」

「只是輕傷。」

「是嗎？那爲何手在發抖？」

「什麼？」回答這話的維時的手開始發抖。

「看吧……」興世王得意笑著。

「沒發抖。」

「眞的？」

「我父親貞盛是射箭高手。這點小事，怎麼可能會射不中你？」

「那，手發抖又是什麼意思呢……」

維時的手比剛才抖得更厲害。

「維時大人，不能和興世王交談。」晴明聲音響起。

將袋子拋給藤太的晴明，現在站在維時一旁。

「愈交談，您會中興世王的咒愈深。」

晴明搭話時，維時的手停止發抖。維時拉著弓，卻無法射出。

因射出後，在搭上第二根箭其間，男人們大概會砍過來。若眞要交鋒，腹部受傷的維時無法充分行動。對方有八人能自由行動。

即便能砍傷對方，也頂多一兩人。第三人很可能會砍倒維時。

藤太若能擊敗將門，或許還可以加入這邊的戰鬥，但目前藤太和將門仍不分勝負。

「晴明大人……」興世王說，「我讚歎你來此地的勇氣，但你用陰陽法術怎麼逃離這兒？」

「我該怎麼辦呢？」晴明邊說邊悄悄伸出右手探入懷中。

「那手想幹什麼呢？」

「該幹什麼呢……」晴明手伸進懷中停止動作。

晴明和興世王彼此觀察般望著對方。

「哎呀哎呀，」興世王笑道，「總不能就這樣一直瞪著對方……」

興世王說畢，望向手持刀停止行動的眾男人。

「誰要先上？」興世王徐徐說：「就算被箭射中，除非很嚴重，也不會馬上死去。誰要是主動讓維時射中，事後我給褒獎好嗎？快去。還是大家一起上？即使射中了也不會痛。只要活著，我會馬上治癒你們的傷口。是我讓那將門於這世上復生了，這點小事不算什麼……」

興世王的低沉聲音注入眾男人耳裡。

「快，要上嗎……」

興世王說得愈多，眾男人雙眼發出之前未有的亮光，在眼中逐漸加大。

亮光逐漸增強。

眾男人的雙足，腳尖在地面滑動般一步一步前進。

每個男人都對準維時。

男人之間那具有熱度的某物逐漸膨脹。逐漸繃緊。

眾男人都因興世王那番話而中咒了。

「我來應付晴明。你們上去幹掉維時。」興世王說，「去！」

興世王大叫，同時眾男人也齊步踢著地面。

「哇！」眾男人發出叫聲撲向維時。

維時沒射箭。他背著撲向自己的眾男人逃開了。握著弓箭逃進森林。

「慢著！」

「別讓他逃走！」

「追！」

眾男人各自大叫地追趕維時，奔進森林。

留下晴明和興世王，以及被森林中射出的箭貫穿大腿的男人。

能行動的八個男人都爲了追趕維時而奔進森林。

「嗯?!」興世王立即察覺事情有異。

即便受他的咒所操縱，還是有點怪。爲什麼全體男人都那麼乾脆地追著維時奔進森林？

「晴明，你做了好事……」興世王喃喃自語。

「您察覺了？」晴明右手仍伸入懷中，紅脣浮出微笑。

「那是式神嗎？還是紙人……」

「類似那類的東西……」晴明若無其事說。

此時最先奔進森林中的人其實不是維時，而是晴明操縱的紙人。

自森林中最初射出箭的當然是眞正的維時。可是，之後走出森林的不是維時，而是紙人。

那時，晴明向興世王和眾黑衣男人下了咒。

首先讓眞正的維時射箭，晴明告訴眾人：「森林中有弓箭對準你們。」

接著，看到走出森林的維時，那明明是紙人，晴明卻故意呼喚「維時大人……」

眾男人因此而上當，把紙人當作維時。

興世王正是察覺此事。

興世王背後火焰發出轟隆聲熊熊燃燒。

「晴明，我上當了……」興世王笑著。

「興世王大人，我不是說過，那個晴明很難應付……」彼方樹上落下道滿的聲音。

這時——

探入懷中的晴明右手動了。晴明自懷中抽出手，但手中沒任何東西。

一粒飛石飛向半空。

晴明抽出右手，趁興世王的注意力集中右手時，拋出藏在左手的東西。

那東西對準興世王的臉。

「唔……」興世王甩臉，躲開半空飛來的飛石。

晴明拋出的東西，自剛才興世王臉龐那處奔馳而過。

「很遺憾，晴明。」興世王說，「你用右手吸引我的注意，再拋出藏在

左手的東西。你以爲我看不穿這種小事……」

興世王說此話時，博雅、維時、如月三人自晴明背後的森林中走出。

「晴明。」博雅奔向晴明。

「晴明大人，黑衣男人都追著我形似我的紙人跑進森林了。」維時說。

「父親大人呢？」如月說。

「嗯？」興世王發出低沉呻吟。

七

藤太和將門還在打。不分勝負。也數不清到底交鋒了幾次。

「太令人高興了，竟能遇上這種對手……」

將門若如此說，藤太便答道：

「不愧是名滿天下的將門，我第一次遇上十分值得對打的敵手……」

這時——有人自森林中出現。

搖搖晃晃拖著腳步走，沒頭顱的全裸軀體。

是平貞盛的屍體。

沒頭顱——也就是說，明明眼睛看不見，但貞盛的軀體卻以慢條斯理的步伐正確地走向將門。

那是非常奇異的光景。

將門若往右動，伸出雙手的貞盛肢體便往右；將門若往左動，他也往左。

「是誰？」

將門朝逼近自己的貞盛揮一刀。伸在前方沒手腕的貞盛左臂撲通落地。

然而，貞盛軀體沒任何反應。他只是追著將門前進。

貞盛本來就是屍體。那軀體遭人砍或怎樣，根本不感覺痛。

「喀！」將門用長刀自貞盛左肩膀砍向胸部。

可是，貞盛仍不停止。傷口內可見砍斷的肋骨白色斷面。

也不會流血。他只是追著將門。

再一看，被砍斷的貞盛左臂不正如蛇那般邊爬邊往將門前進嗎？

益發通紅熊熊燃燒的火焰映照著那光景。

簡直不是這世上的光景。

「噢……」

在樹上眺望的道滿發出興奮聲。

「眞是說不出有多駭人的一幕。」

道滿左右嘴角往上揚，成爲笑容。

貞盛的軀體仍想纏住將門。

「滾開！」將門用大長刀在貞盛雙足膝蓋那地方一刀兩斷。

貞盛身體撲通往前摔倒。貞盛卻仍用膝蓋想站起，但行動已追不上將門。

「爲何不砍過來？」將門轉向藤太問。

將門是在問藤太，刀身砍向貞盛時爲何不趁機砍他。

因爲這其間，藤太停止揮刀，一直在等將門轉過身。

「如果事後人家說我借助貞盛大人的力量，兩人合力擊倒將門大人，我會蒙羞。」

「貞盛？」

「是的。」

「只有軀體，頭顱呢……」

「頭顱不是被你奪走了？」

「確實如此。」將門邊說邊掄起長刀，「繼續吧。」

「來。」

「看招，藤太。」

「過來，將門。」

咚、噹，刀身再度交鋒。

「呀！」

將門連著運氣一起揮下大長刀，藤太未用黃金丸接招，跳到一旁，躲開時「咧」一聲揮下右手單獨握著的黃金丸。

這一刀，漂亮地砍斷將門右腕。

將門自身的右腕掛在將門左手握著刀柄護手那附近。

「礙事！」將門左手揮一下大長刀，右手腕落地。「藤太，還沒結束，現在才開始。」

「我知道。」

兩人簡短交談幾句，再度「喀」、「喝」地激烈交鋒起來。

八

「這、這味道……」與世王雙手蓋在臉上，「晴、晴明，你……」與世王從指縫瞪著晴明。「你剛才拋的那個……」

「是散蟲丸。」晴明說。

「你故意將那個……」

「拋進火中。」

「唔。」

「光拋進火中可能會被您察覺，因此才利用那種手法。」

「……」

「所幸風吹向這邊，散蟲丸的煙也飄向這邊……」

「晴明，你幹了好事……」興世王鬆開蓋住臉的手，現出興世王的臉龐。

「唔、唔。」維時發出叫聲。

映著火光，興世王容貌正在變化。

眼神逐漸銳利。

嘴脣逐漸變薄。

顴骨逐漸突出。

鼻子逐漸高聳。

在火光中可看清這些變化。

同時，興世王左鼻鼻孔也流出某物。

類似黑色鼻涕。不，不是流出。是那某物想爬出。

是看似粗黑水蛭的東西。那東西看上去像生物。

爬出後，改變方向，爬至興世王臉頰。同時，興世王的容貌也變了。

「晴明，那是什麼？」博雅問。

「是變顏蟲。」

「變顏蟲？」

「吞下這蟲，可以改變自己的容貌。」

「什麼……」

「只要把這蟲趕出來，可以恢復眞正容貌。本來必須吞散蟲丸，目前辦不到，因此我拋進火中燒，讓蟲聞到煙味。」

晴明說此話時，興世王抓住爬在自己臉頰的變顏蟲，滑順地拔出剩餘部分拋進火中。

站在原地的不是興世王，是另一個人。

「這、這？」維時叫出聲。

「晴明大人，這是？」如月問。

「妳也認爲他是興世王吧。」

「難道不是?!」

「不是。」晴明點頭。「這位人物，是藤原純友大人……」

晴明望著直到方纔還是興世王的人物如此說。

「晴明，眞的嗎?!」博雅問。

「你可以問本人。」

「不用了。」原本是興世王那人打斷晴明的話說，「沒錯，我是藤原純友。」

那人物——藤原純友說。

「懸首示眾的興世王大人頭顱，和純友大人的頭顱可能不是本人的風聲，眞相便是如此。」晴明道。

「唔。」

「博雅，這是你教我的。因此今天我才準備了散蟲丸來。」

終卷

一

「爲何做出這種事……」維時說。

維時右手握住抽出的長刀瞪著純友。純友背後轟然燃燒著巨大火焰。

「問我爲何？」純友徐徐吐出一小口氣說。

背後發出爆音飛來的火星零零星星落在純友蓬髮，燒焦頭髮。

「你問得很無聊……」純友右手擱在腰上長刀刀柄。

維時像是要庇護晴明、博雅、如月，站到前面。

「你傷口還沒痊癒，想跟我打？」純友低聲道，「晴明已無法對我下咒。這樣一來，只能靠劍法和力量決勝負。維時、晴明及博雅大人，應該從未在戰場上用過長刀。」

純友笑著。

「但我有經驗……」純友腳尖稍微趨前，「維時，你剛才問我爲何這樣做，我反過來問你好了……」

「問我?!」

「維時，你爲何而活？」

「什麼？」

「你爲何而生於這世上？」

「唔……」維時握著長刀答不出來。

「答不出來嗎？」純友視線移向博雅，「那麼，博雅大人，你呢？爲何而生於這世上？」

「什……」博雅也答不上來。

「博雅，別上當。跟純友大人談話會中他的咒。」晴明以冷靜聲音說。

然而——

「純友大人，」博雅抬臉回答，「你是在問花嗎？」

「花？」

「你是在問風嗎？」

「……」

「你是在問花，爲何在那兒開花？問風爲何吹起嗎？」

「噢……」

「花，只是在那兒開花，只是生而爲花便十分滿足。」

「有趣，你是花嗎？博雅大人……」

「我是人。」

「……」

「我如同花那般，爲了完成身爲人的目的而生於這世上。」博雅清晰、高聲回答。

純友放聲大笑。

「晴明，博雅大人竟對我回敬咒的問答。」

純友鬆開擱在長刀刀柄的右手，舉到頭上輕輕拍了一、二次。

「有趣。」純友望著博雅。

「有趣？」

「我回答你剛才的問題吧。博雅大人，照你的說法來說，那是因爲我生來便是我。」

「什……」

「因爲我生來便是藤原純友，因此我以純友而活。」

「所以才做出那種事？」維時問。

「因爲我是我。」

「我？不是爲了十九年前的怨恨？」

「哼哼。」純友瞪了晴明一眼，「還未到時候，晴明，你別急著提往事。我們現在正談到趣事。」

「我洗耳恭聽。」晴明說。

純友吸了一口氣。

「聽著，晴明，聽著，不要聽漏我的告白……」純友呻吟般說，「十九年前，橘遠保逮住我們父子，我和兒子重太丸都被砍頭……眾人都認爲事情結果是如此。」

「……」

「但是，被捕的是我兒子重太丸。而被認爲是純友的人則是我的替身。」

「……」

「那是個可愛孩子。只有十三歲。跟我很親。正是那重太丸被砍頭……」

純友喃喃自語。

「是爲了重太丸被砍頭的怨恨嗎……」維時說。

「你說什麼？」純友望著維時，「怨恨？」

「不是爲了怨恨？」

「怎麼可能……」純友笑道，「的確有怨恨。因此在事發三年後我殺了遠保。殺了他，並砍下他的頭……」

「……」

「可是，我現在做的事不是爲了怨恨。怨恨怎麼可能令人做出這種事。我啊，博雅大人，我也是人……」

「人？」維時問。

「是人。正因爲是人，才想得天下。因怨恨而勞心焦思的不正是將門嗎？他不是正因爲如此而成爲妖鬼嗎？我則因爲是人，才想稱霸天下……」

「稱霸？」

「是的。因此即便是我的親生骨肉也……」

「……也怎樣？」

「也得爲了我不得不死。」

「您在說什麼事？」

「不明白嗎？是我讓我兒子重太丸被捕。」

「這眞是……」博雅哽住話。

「因此我才能逃之夭夭。」

「太可憐了……」博雅小聲自語，「太可憐了、太可憐了……」

喃喃自語的博雅雙眼簌簌落淚。

「爲何而哭？」

「不知道。」博雅說。

「若是爲了重太丸，你沒必要同情他。他是爲我效勞而死。」

「不是。我不是爲重太丸大人而流淚。」

「那，為誰……」純友自語後，想起某事般說：「難道為我？博雅大人，你該不是為我而流淚吧。」

「……」

「說什麼京城、什麼皇上，那些都是流了人血才能得手。而流那血的人正是雙親或兄弟，是親人流了最多血。你應該也知道這點吧。事到如今還流什麼淚……」

「……」

「我只能這樣活。」純友說。

「您眞是很可惡……」如月邊說邊自後方站出。

「噢，如月……不，瀧子姬……」

「原來我和父親將門都受您操縱了。」

「我沒操縱，我只是培育而已。培育存在於人心的東西。」

「我父親呢……」

「在那邊森林中，看吧，正在和俵藤太交鋒。」

聽到這句話，瀧子轉移視線。

「父親大人……」

瀧子朝森林喊話時，純友突然動了。

純友拔出長刀奔過來，自瀧子肩膀直至背部一刀揮下。
他右手本來已鬆開長刀刀柄，導致晴明一行人疏忽大意了。
速度快得駭人。
「如月大人……」維時奔向瀧子。
「只要瀧子不在，就可以輕而易舉操縱將門。」
純友如此說，高聲笑出。

二

「慢著，藤太。」在森林中和藤太交鋒的將門邊說邊後退。
「怎麼了？」藤太也縮回黃金丸，停止動作。
「我聽到瀧子的叫聲……」將門說。
「嗯。」藤太點頭。因藤太也聽到同樣叫聲。
先是呼喚父親的女人聲，繼而是慘叫。而且那慘叫於途中停止。
將門朝森林外奔馳。藤太也拔腿飛奔。兩人不即不離。
兩人至此雖邊打邊進入森林，但並非進入深處。他們立即來到外面。
火焰熊熊燒得通紅。火勢還未減弱。

藤太和將門趕到時，在火焰亮光中看到純友張開雙足站著。

站在純友面前的是握長刀的平維時。

維時一旁躺著女人。是瀧子。

晴明和博雅蹲在瀧子一旁。藤太毫不遲疑地站到維時旁。

將門則——在眾人面前止步，低吼：「瀧子……」

瀧子肩膀至背部被一刀砍傷，此刻那傷口仍流出鮮血。

「將門大人，是維時砍了瀧子姬……」純友說。

將門用肩膀喘氣，望著純友自語：「你是……」

「是藤原純友。」

「可是……」

「你認識的那個興世王其實是我。事後再說明吧。我們目前必須先擊倒這些人。」

聽純友如此說，維時噴火般道：

「純友，砍了如月大人的不正是你嗎？你竟說出這種放縱話？」

「將門，維時大人戀慕瀧子姬，他不會做出那種事。」藤太架起黃金丸說。

「你相信敵方說的話還是相信我說的話……」

純友說這話時，女子聲音響起：

「不是。」

瀧子已站起。雖然一旁有晴明和博雅撐持，但剛才爲止氣息奄奄看似即將死去的瀧子，現在呼吸穩定，而且雖有人撐持，卻用自己的腳站著。

「砍了我的人，是在那裡的興世王——不，是藤原純友。父親大人。」

「妳說什麼？大概是那個陰陽師施行什麼妖術操縱瀧子姬吧……」

「不是。」

瀧子掙脫晴明和博雅的手。她用自己的雙足站著，沒人撐持。

「我沒被任何人操縱。」

一步，兩步，瀧子挨近純友。

「十九年前偷襲我們住的寺院，殺死我母親、拐走我的人正是純友大人。我不知情，一直受他操縱……」

三步……

「瀧子已受夠了。再也不想看到戰爭，看到有人死亡……」

「噢，瀧子、瀧子姬……」

「不要再繼續了，往後我們父女倆到不爲人知的地方過日子吧……」

往前走的瀧子，容貌開始緩緩變化。

臉頰的肉在動，鼻子形狀變了，眼睛也似乎變大。
「妳、妳……」
「將門大人……」那女子說。
「妳、妳……」
「久違了，將門大人……」
「桔、桔梗。」
桔梗站在將門面前。連藤太也大吃一驚。
「桔梗大人。」藤太大叫。
「是藤原純友命人殺我、拐走瀧子……」桔梗說。
「原來……」將門望著純友點頭，「原來如此。」
「晴、晴明，這……」博雅也在晴明身旁嚇一跳。
「可以了。」桔梗說，「可以了，應該滿足了吧……」聲音很溫柔。
「桔梗……」將門拋下長刀，緊緊摟住來到眼前的桔梗。「我好想見妳……」
凝望此光景的純友突然轉身低語：「晴明，你幹的……」
「是。」晴明若無其事地回答，「我用了您拋棄的蟲。」
晴明還在回答時，冷不防將門鬆開桔梗，「哇！」地當場跪地。

「嗚哇……」

「嘔……」

他對著地面口中嘔吐出某物。是黑色黏液。發出腐臭的東西。

將門彎著背持續嘔吐，吐了好幾次。

吐完時——

跪在該地的已不是鐵身的將門，而是人身的將門。

身體也恢復爲原本的將門身高。

「父親大人。」

說此話的女子，不知何時又自桔梗變成瀧子。

「噢……是瀧子嗎……」

將門仰望火焰往上燒的上空，再將視線移回大地。

「藤太……」他望著俵藤太。

再望著晴明、博雅、維時，最後望著瀧子。

「我好像在做夢……」將門說。

他緩緩站起，望著純友。

「純友大人……」將門說。

「什麼事？」

「已可以了吧。」
將門一步、兩步地挨近純友。
「你在說什麼？什麼事？」
「我們已活得太夠了……」
「別過來。」純友用手中長刀刺向將門。
將門已非鐵身。刀身深入將門腹中。一瞬，將門停止動作，卻又保持原狀繼續前進。刀尖從將門背部穿出。
「純友，已經夠了吧……」
將門跨前一大步，緊緊摟住純友的身體。
「你做什麼？」
將門抱起說此話的純友。
「純友，我帶你到黃泉之國。」
將門開始跨步。走向火焰。
「住手，將門。」
「不。」
「喀！」純友咬住將門肩膀，咬下肉塊。
然而，將門仍不停止。繼續挨近火焰。

「將門！」藤太大叫。

將門回頭。

「藤太，很好玩吧……」將門說，「我很慶幸跟你打得很滿足。不愧是俵藤太，功夫的確是天下第一。」將門笑出。

「父親大人。」瀧子邊哭邊呼喚。

將門望著瀧子，說一聲「再見了」，朝火焰走去。

「住手，你想做什麼？將門……」

「忍耐一下，純友……」

剛說畢，將門頭髮立即燃燒起來。純友頭髮也發出青色火焰燒起來。

「哇！」純友大叫。

「忍耐一陣子就好。比起淨藏那小子的火，這火不算什麼。」

「啊……」

「哇哈哈……」

將門的笑聲蓋住純友的叫聲。夜氣中夾雜肉烤焦的味道。

將門和純友的身軀倒進火焰中。

儘管如此，純友的叫聲和將門的笑聲依舊持續了一陣子，過一會兒，聲音消失。

「父親大人……」

瀧子打算挨近火焰，維時自後方摟住她。

「喂，晴明……」博雅在晴明後方呼喚，「你對瀧子大人做了什麼?」

「純友大人丟棄的變顏蟲從火焰中爬出，我拾起，自瀧子大人的傷口放蟲進她體內。」

「什……」

「變顏蟲不僅能改變容貌，也能止血癒合傷口。興世王能立即治癒傷口，正是因爲如此。」

晴明說此話時，追捕公役自森林中蜂擁而出。

其中包括肩膀上騎著沙門的賀茂保憲。

「怎麼了?晴明，沒事嗎?!」保憲朝這邊問。

「事情已結束了。」晴明說。

「來這兒途中，發現幾個可疑男人在森林內徘徊，全抓起了。」

「既然如此，已沒事可做。」晴明說。

晴明視線移向一旁。道滿站在該處。道滿搔著頭，挨過來說：

「晴明，你讓吾人觀賞了有趣光景……」

「道滿大人幫了我很多忙。」

「不用道謝，吾人只是玩得很盡興……」
晴明望著說此話的道滿，問：
「那是什麼？」
「這個嗎？」
道滿取出自懷中露出部分的東西，在火光中給眾人看。
那東西被道滿抓在手中仍在蠕動。那是人的右手腕。
「是將門的手……」道滿用手指摸著將門的手。
將門的手指加快動作。
「噢，記得吾人嗎？還記得吾人嗎……」道滿歡喜地說。
「那是我……」藤太說。
「是的。是你砍下的。那時，我拾起來了。」
「您打算怎麼辦？」晴明問。
「這是成爲妖鬼時的將門手腕，吾人打算用來當式神。」道滿說，「妳想見這手腕時，可以隨時來找吾人。」
道滿對瀧子如此說後，不等瀧子回話，背轉過身。
「吾人要走了……」
道滿跨開腳步。背影漸行漸遠，最後消失於森林內。

後記——夏季風景

從以前便很想嘗試寫《陰陽師》的長篇。

雖已有《陰陽師》的長篇《生成姬》，但我想寫比那更長的。

若要另加理由，是有幾個爲電影想出的點子，但實際沒用在電影上，我很想把這些東西化爲鉛字。

話雖如此，開始動手寫時，打算一年便結束，實際寫了後，前後卻花了三年，實際寫作時間花了兩年。

不過，在我的長篇小說中，這應該算是短期內寫成的小說。

結束時是春季——

現在寫這篇後記是夏季。

已是八月，窗外頻頻響起熊蟬叫聲，傳進我耳裡。

開始寫《陰陽師》後，今年到底是第幾個夏季？

第十八次？第十九次？

簡單說來，大致二十年。

二十年——

這十年來，每年住一次院進行綜合體檢，可以知道身體逐年古舊，渾身是病。

已無法硬幹了。

身上也具有幾項終生都得打交道的毛病。今後這數目大概只會增加，不會減少吧。

所謂時間，便是如此。

無論是好是壞，目前的我這軀體是我住了五十四年的住家，無法與我分開。

不僅軀體，無論工作、朋友或嗜好，都這樣吧。

在我面前展開的夏季已非「少年的夏季」，它具有與十幾歲、二十幾歲時不同的色調和感覺，在我面前展開。

那也有其優點。

不錯的夏季風景。

讀了一本書。

《我寫了赤塚不二夫①的事！》武居俊樹著（文藝春秋刊行）。

是漫畫家赤塚不二夫的責任編輯武居俊樹寫的書。

①赤塚不二夫，一九三五年生，日本滑稽漫畫代表之一。

「老師，我已可喜地卸下擔任您的責任編輯職務。」
「那眞是可喜。這樣我就可以高枕無憂了。」
「老師，失去我這種笨蛋，您會很寂寞。」
「你的確是個笨蛋。」
「經老師培育，我眞的成爲很正派的笨蛋。」
「了不起，我給你褒獎。」
「《retturagon》②會結束。」
赤塚起身從冰箱拿出兩罐海尼根擱在桌上。兩人就著鋁罐乾杯。
「武居在，我才能畫《gon》③。武居不在的話，可以結束了。」
我邊暗忖必須說些什麼廢話邊將啤酒灌進喉嚨。廢話很難說。沒有才能是說不出的。
只能說「tarirariran」④。
「tarirariran是笨蛋的樂音。」
落淚。
今年讀過的鉛字書中，目前這本是第一名。
好看。

②赤塚不二夫於一九七三年推出的連載漫畫《レッツラゴン》，共十二冊。
③即《レッツラゴン》的簡稱。
④《天才笨蛋阿松》（おそ松くん）主題曲，全名為《タリラリラーンロックンロール》。《天才笨蛋阿松》是赤塚不二夫於一九六四年獲得第十屆小學館漫畫賞的代表性作品。

要釣魚。
要看戲劇。
也要做陶藝。
可是——
我的第一喜好是工作。
寫小說。
寫故事。
在此我想重新發誓，一定要死守這一道界線。

二〇〇五年八月二日於小田原
夢枕獏

・夢枕獏公式網站「蓬萊宮」網址：http://www.digiadv.co.jp/baku/

譯後記——承平天慶之亂

瀧夜叉姬是歌舞伎劇戲碼《忍夜戀曲者》的主角，身分是關東英雄平將門的三女如月（又名「五月姬」）。劇中的如月為了替父親雪恨，前往鞍馬貴船神社祈願，獲得蟾蜍妖術（能夠化身為蟾蜍），改名為瀧夜叉姬後與朝廷對抗。史實的如月似乎逃到福島縣落髮為尼，改名為如藏尼。

平將門是桓武天皇的子孫，平安時代中期的武將；藤原純友則是中級公卿，本來為了鎮壓海盜前往瀨戶內海赴任，最後竟成為海盜大頭目。由於這兩人在同一時期分別於東國與西國兵變，因此在日本史上的正式名稱是「承平天慶之亂」。不過，東國的將門之亂只花兩個月便平定，西國的純友之亂則花了兩年才平定。這二亂表示當時的中央政府朝廷已喪失統制全國的力量，也象徵律令國家的崩壞，而就時代潮流來看，也正是武士階級的興起。

將門於九四〇年二月戰死，四月，頭顱送至京城；純友於翌年六月遭射殺。

九四〇年完成的軍事文學《將門記》中，描述將門是中了興世王等人的陰謀，才會喪失新皇地位而死於戰場，但沒有詳述興世王到底是怎麼樣的人物。而一一三二年完成的《拾遺往生傳》及一二一二年至一二一五年完成的《古事談》中，均記載淨藏於九四〇年正月二十二日，爲了降伏將門在延曆寺進行大威德法護摩儀式，這時燈臺火中出現將門手持弓箭的朦朧身影，護摩壇中也發出嚆矢聲往東飛去。於是淨藏說「降伏將門必成」。也提到公卿在平定國內災害叛亂舉行仁王會時，選了淨藏爲法師，這天京城內風言風語，說將門將率軍進京，淨藏卻說「將門首級正要進京」，事實果然如此。

《源平盛衰記》中亦記述俵藤太（藤原秀鄉）本來打算跟將門聯手推翻朝廷，前往將門住處求見。當時將門正在梳頭，聽到俵藤太前來，驚喜得顧不得結髮髻，也沒換衣，就穿著白色內衣出來迎接俵藤太。俵藤太也非等閒人物，當下便認爲「這人個性輕率，不足以登上日本國之主寶座」。之後，將門設酒席款待俵藤太，主客喝酒暢談時，不知是太高興還是個性使然，酒菜撒落將門盤坐的裙褲上，將門自己用手撣掉。此時，俵藤太又暗忖「這是庶民的舉動」。

簡單說來，俵藤太在初次見到將門時，便認定將門缺乏一國之主的才氣，表面上佯裝願意加入將門軍，實際卻同朝廷聯手於日後滅亡了在東國自稱「新皇」的平將門。

平安時代後期完成的史記《大鏡》中，提到將門跟純友於事前約好一方在東國舉兵，另一方在西國蜂起，事成後，由將門當天皇，純友當關白。這是指出將門與純友共謀一事的最古史料。

總而言之，平將門打算在關東地區建設一個烏托邦，卻在三十八歲時未能達成夢想而死，死後成爲怨靈，之後又升級爲「神」。這點跟同是平安時代的文人菅原道眞類似，只是菅公成爲全國性的學問之神，平將門卻始終是關東地區的地方神。但在六百六十三年後，另一位武士出身的德川家康爲他出了一口大氣，創設了江戶幕府，而這「江戶」至今仍是日本的政治、經濟與交通中心，也是日本第一大都市。倘若平將門地下有知，會不會如蘆屋道滿那般發出「泥土煮沸」似的笑聲？

這部《瀧夜叉姬》可說是總括了所有關於「承平天慶之亂」的史料軼聞與史實，內容眞眞假假，史實與民間傳說渾然一體。當然故事中有妖也有怪，但隨著故事的進行，讀到最後，讀者應該能分辨出孰爲史實、孰爲民間傳說、孰又爲夢枕大師掰出來的。

歷史傳奇小說正是具有這種「咒力」，作者以說故事的方式，無形地在對讀者進行一堂歷史課。這比我們當學生時爲應付大考小考而硬背的「歷史」有趣多了。

老實說，年紀愈大，我愈喜歡讀這類歷史傳奇小說。所謂正史，在我看來，都是「勝者」的「狡辯」。「敗者」在哪裡？死無對證吶。所幸有民間文學為「敗者」平反。不管是神話、傳說、戲曲、歌謠，甚或是街談巷語。或許，「眞實」正是隱藏在這些通俗說話中？

作者介紹

夢枕獏（YUMEMAKURA Baku）

日本ＳＦ作家俱樂部會員、日本文藝家協會會員。生於神奈川縣小田原市，東海大學文學部日本文學系畢業。嗜好是釣魚，特別熱愛釣香魚。也熱中泛舟、登山等等戶外活動。此外，還喜歡看格鬥技比賽、漫畫，喜愛攝影、傳統藝能（如歌舞伎）的欣賞。

夢枕先生曾自述，最初使用「夢枕獏」這個筆名，始自於高中時寫同人誌風的作品。「獏」這個字，正是中文的「貘」，指的是那種吃掉惡夢的怪獸。夢枕先生因爲「想要想出夢一般的故事」，而取了這個筆名。

年表：

一九五一年　一月一日生於神奈川縣小田原市。

一九七三年　東海大學日本文學系畢業

一九七五年　到海外登山旅行，初訪尼泊爾。

一九七七年　在筒井康隆主辦的ＳＦ同人雜誌《NEO NULL》、及柴野拓美主辦的《宇宙塵》上發表作品。在《NEO NULL》上發表的〈蛙之死〉受到業界人士注意，同作轉至SF專門商業出版雜誌《奇想天外》刊登而成爲出道作。之後在《奇想天外》發表中篇小說〈巨人傳〉，而正式開始作家之路。

一九七九年　在集英社文庫Cobalt推出第一本單行本《彈貓的歐爾歐拉涅爺爺》。

一九八一年　在雙葉社推出第一次的單行本新書《幻獸變化》。

一九八二年　在朝日Sonorama文庫推出Chimera系列第一部《幻獸少年Chimera》。

一九八四年　在祥傳社Non-Novel書系發表的「狩獵魔獸」系列三部曲成爲暢銷作。

一九八六年　循《西遊記》裡的旅途前往中國大陸作取材之旅，從長安到吐魯番。「陰陽師」系列開始連載。

一九八七年　繼續西遊記行程。下半年與野田知祐一同在加拿大的育空河泛舟。

一九八八年　第三次踏上西遊記的旅程，到天山的穆素爾嶺。文藝春秋社出版《陰陽師》。

一九八九年　以《吃掉上弦月的獅子》奪得第十屆日本SF大獎。

一九九〇年　《吃掉上弦月的獅子》獲頒星雲賞平成元年度日本長篇獎。

一九九三年　十月爲坂東玉三郎所寫的〈三國傳來玄象譚〉在東京歌舞伎座「藝術祭十月大歌舞伎」上演。

一九九四年　出任日本SF作家俱樂部會長。岡野玲子改編的漫畫作品《陰陽師》出版。

一九九五年　小說《空手道上班族班練馬分部》由NHK拍成電視劇，由奧田瑛二主演。在東京神保町的畫廊舉辦照片展「聖琉璃之山」（亦有同名攝影集）。文藝春秋社出版《陰陽師—飛天卷》。

一九九六年　爲坂東玉三郎作詞的〈楊貴妃〉在歌舞伎座上演。爲NHK BS台的「釣魚紀行」錄影赴挪威。十月起在NHK總合台「大人的遊樂時間」擔任常任主持人。爲電視節目「世界謎題紀行」錄影赴澳洲。

一九九七年　文藝春秋社出版《陰陽師—付喪神卷》。

一九九八年　於中央公論新社出版《平安講釋—安倍晴明傳》。

一九九九年　《陰陽師—生成姬》於朝日新聞晚報開始連載。

二〇〇〇年　文藝春秋社出版《陰陽師—鳳凰卷》。

二〇〇一年　四月，NHK製作、放映《陰陽師》，由SMAP成員之一的稻垣吾郎主演。六月，岡野玲子的漫畫版出版至第十冊。十月，電影「陰陽師」上映。由知名狂言家野村萬齋飾演主角「安倍晴明」，眞田廣之、小泉今日子等人共同主演。文藝春秋社出版《陰陽師─晴明取瘤》。

二〇〇三年　電影「陰陽師II」於十月上映。文藝春秋社出版《陰陽師─太極卷》。

二〇〇六年　首度來台參加台北國際書展，掀起夢枕旋風。

二〇〇七年　改編同名作品的電影「大帝之劍」由堤幸彥導演、阿部寬主演，於四月在日本上映。七月文藝春秋社出版《陰陽師─夜光杯卷》。年底配合首本繁體中文版《陰陽師》繪本《三角鐵環》來台舉辦簽書會，再度掀起《陰陽師》的閱讀熱潮。

二〇〇八年　雙葉社出版《東天的獅子》系列。

二〇一〇年　文藝春秋社出版《陰陽師─天鼓卷》。角川書店出版與天野喜孝、叶松谷共同合作的《楊貴妃的晚餐》。

二〇一一年　以《大江戶釣客傳》獲得第三十九屆泉鏡花文學獎、第五屆舟橋聖一文學獎。改編《陰陽師》的漫畫家岡野玲子訪台。同年傳出陳凱歌將與日本電影公司合作《沙門空海》的電影拍攝作業。文藝春秋社出版《陰陽師—醍醐卷》。

二〇一二年　以《大江戶釣客傳》獲得第四十六屆吉川英治文學獎。十月文藝春秋社出版《陰陽師—醉月卷》。適逢《陰陽師》出版二十五週年，文藝春秋社也同步出版《陰陽師完全解析手冊》。

二〇一三年　八月參加NHK總合台的柳家權太樓的演藝圖鑑節目播出。九月在東京歌舞伎座上演《陰陽師—瀧夜叉姬》，創下全公演滿座紀錄。十月小學館出版長篇小說《大江戶恐龍傳》系列。

二〇一四年　文藝春秋社出版《陰陽師—蒼猴卷》、《陰陽師—螢火卷》，後者出版後獲得十一月網路票選「二十歲男性閱讀的時代小說」第二名。

二〇一五年　曾獲第十一屆柴田鍊三郎獎的小說《眾神的山嶺》，將由導演平山秀行翻拍成電影，阿部寬與岡田准一主演，三月前往尼泊爾山區取景，將於二〇一六年於日本全國院線上映。睽違十二年《陰陽師》再度影像化，夏季將在朝日電視台播出同名SP電視劇，由歌舞伎演員市川染五郎主演。

二〇一七年　作家生涯四十週年，榮獲菊池寬獎及日本推理大賞。

國家圖書館出版品預行編目（CIP）資料

陰陽師. 第十部 瀧夜叉姬 / 夢枕獏著 ; 茂呂美耶譯-- 二版.
-- 新北市 : 木馬文化出版 : 遠足文化發行, 2018.10
320面 ; 14 x 20公分. -- (繆思系列)
ISBN 978-986-359-597-7 (下:平裝)

861.57 107016122

繆思系列

陰陽師〔第十部〕瀧夜叉姬（下）

作者／夢枕獏（Baku Yumemakura） 封面繪圖／村上豐
譯者／茂呂美耶
社長／陳蕙慧
副總編輯／簡伊玲
編輯／王凱林
行銷企劃／李逸文・廖祿存
特約主編／連秋香
封面設計／蔡惠如
美術編輯／蔡惠如
內文排版／綠貝殼資訊有限公司

社長／郭重興
發行人兼出版總監／曾大福
出版／木馬文化事業股份有限公司
發行／遠足文化事業股份有限公司
地址／231新北市新店區民權路108之4號8樓
電話／02-2218-1417
傳眞／02-8667-1891
Email：service@bookrep.com.tw
郵撥帳號／19588272 木馬文化事業股份有限公司
客服專線／0800221029
法律顧問／華洋國際專利商標事務所 蘇文生 律師
初版一刷 2007年5月
二版一刷 2018年10月
二版二刷 2021年2月
定價／新台幣300元
ISBN 978-986-359-597-7

腦波弱者必服用・玻璃心者斟酌劑量

真心話老實說

在從事命理業的過程中，我常聽到很多讓人哭笑不得的問題，當然這些問題可能來自於影視戲劇為了劇情需要而誇大，不過大家既然不覺得人真的可以輕功御劍飛行，為何會相信戲劇中其實很不合邏輯的命理或者五術的說法呢？也可能是因為各類型節目所創造出來的所謂電視命理名師，或是藝人的所謂算命經驗談，產生許多奇怪的觀念。我們可以理解大家為了賺錢，總是要製造節目效果，要在短時間創造收視率，如果不走浮誇的路線，誰會去注意呢？又或者是許多老師為了生意，而創造了許多似是而非的說法，來滿足消費者的需要，畢竟命理師很多時候其實更像是一種心靈上的情色行業——一個是拿錢來安慰肉體，一個是拿錢來安慰你的心情。

如同我常說的，人生的業障就像肥肉，容易累積，難以消除，消除要靠自己的力量，解決問題要靠自己的決心，決心不夠肥肉不除，所以在這個過程中，需要有個教練在旁邊幫助自己撐下去。有上過健身房的都知道，當一磅一磅的重量加上去，沒有教練的鼓勵跟吆喝是做不到的，所以心理幫助的層面確實在命理業中佔了相當大的部分，但是如果為了賺錢，而利用專業去創造一些錯覺，讓客人可以一直回籠，這樣就很糟糕了。

在這般利之所趨的社會環境之下，會有許多對於命理的誤解，甚至，不要錢的那些人說出來的話也是很可怕的，像是有許多所謂的修行人，算命都是免費的，可能是看過幾本命理書（還不能確定是不是有買對書，例如一直有人以為紫微斗數是來自於封神榜，可是你知道封神榜是神話故事嗎？），也有的說是有神明告訴他的（或者各類宇宙的光，高等靈，偉大的主……，反正盡可能取個威猛的名字來證明跟自己說話的那位比較厲害），問題是，誰知道跟你說話的是誰呢？那位這麼厲害的話，為何要跟你說話，而不去恐嚇一下世界上的暴君呢？這樣不是可以更有效解決世界問題，讓愛更早降臨世界呢？

這些所謂的修行人因為信仰，又覺得自己是發善心免費助人，所以更是堅持「規勸」世人，宣揚自己的思想價值，可是有信仰、有吃素，跟你有能力救人真的是兩回事。命理學是專業而且科學的，是富含邏輯與思辯的學術，如果因為有宗教信仰就可以學會，那醫學院的學生乾脆全部改吃素，或者全部去信個什麼教還不更好嗎？有善念跟真的可以行善事是兩碼子事情，筆者希望自己可以拯救熱帶雨林和海洋生物，但是我只能捐錢支持專業的人士去處理，無法自己去做。

這些無論是因為無知或利益，所創造出來的許多對於命理的誤解，對於真正專業的命理師來說，其實相當的無奈，無奈在於這些錯誤的命理觀念反覆出現、深植在大眾的心中，甚至因此讓許多人一生受害。開業以來，我幾乎每個月都會遇到來諮詢的客人，被錯誤的命理說法所害，有聽說所謂的「半空折翅」，自己五年後會一無所有的；有因為婆婆覺得自己屬虎剋夫，所以婆媳關係很差的；有因為所謂的廉貞七殺、半路埋屍格，每天擔心自己將遭遇橫禍的；有因為夫妻宮是空宮，覺得自己一生沒有姻緣的；也有因為自己是三吉嘉會，而賣掉房子去創業，結果失敗的，各類型五花八門應有盡有。

更何況筆者因為教學佔了大多數的工作時間，所以每個月只接受二十人命理諮詢，少少的二十人就出現這麼多案例，可見得社會上對於命理的誤解有多嚴重，這也是督促筆者更加致力於教學，希望可以公開透明，並且盡量用現代化語言文字，解釋命理上的學理問題，以邏輯原理來討論的原因，因為只有越多人了解，才越能打破命理學迷信的汙名。

真正的學術是可以接受邏輯檢驗的，真正的學術也可以是人人都會使用，並且可以實際幫助自己的。藉由新書的出版，筆者附上一些常被問到的小問題，在無奈可笑中讓大家知道，其實花

錢去算命，真的不要這樣問，如果你遇到的是神棍，這樣的問法
正在告訴那個神棍，快來騙你的錢啊！

Q1 命會不會越算越薄？

這一定是不懂命理的人說出來的話，或者是要你相信人定勝天這樣的信念，希望你不要迷信。排除這些以外，命會越算越薄的原因應該是來自於：你一直去算命，卻又個性固執，根本不聽勸。

人會去算命，必然是因為人生有困難，沒有人會因為人生過得太爽去算命的。命理的基本邏輯是人與時空環境的關係，無論哪一種命理學都是如此，所以當你運勢低落的時候，不是運勢太差就是個性上有些問題（適逢衰運或是將自己放在不適合的時空環境，例如天生四肢較短的人要當運動員比較適合舉重，不會適合田徑，如果他一定要往田徑發展，必然很痛苦），這兩者往往也會是一體兩面。

這時候，如果不考慮是遇到爛命理師（遇到爛命理師如同遇到爛醫生，當然是命越算越薄，病越醫越多），假設遇到的命理師是好的，但是因為自己不願意改變，只是希望命理師支持自己的錯誤認知跟觀念，那麼不管怎麼算，一切仍然不會改變，倒楣的事情依然發生，因為自己不改變，當然就會一直倒楣啊！這時候這個人會怎麼想呢？他會想就是因為自己算得太多了，所以命越算越薄了，這不過是一種錯誤的邏輯判斷而產生的錯覺而已，命從來就沒有越算越薄，鈔票都不會越算越薄了，何況是生命呢？

Q2◀ 幫人算命會不會背業障會短命？

命理是預測學，利用推理原理與足夠的資料庫，推算出合理的預測，世界上有許多預測學，命理跟這些預測學都是一樣的原理跟邏輯。如同股市預測、氣象預測，如果這樣的預測學問會造成業障使人短命，那醫生與氣象學家應該都會短命才對。

在學理上，確實有可能因為改變了什麼事情，而需要付出某些代價，但是筆者相信我們都沒有那麼偉大，可以做出撼動世界的改變，所以也不用擔心自己的小命會不保。

Q3◀

有命理師說我這輩子都是小三命／剋父命？

這個是最容易拿來騙錢的說法，尤其是傳統命理學特別喜歡這種所謂的鐵口直斷：你是怎樣的命格，你必然如何如何？其中包含刑剋各種人，你某年會如何等等的說法。說成這樣，就像醫生跟筆者說「你是胖子」一樣，拜託，這種事情還需要醫生大人您來說嗎？自己照照鏡子就知道了，醫生該告訴筆者的是如何改善發胖的問題吧！所以，如果命理師跟你說了什麼「必然如何」

的事情，不就等於否定了他可以改變嗎？都不能改變那還算命幹嘛？都不能減肥，看什麼醫生！繼續跟海牛當好友就好了啊。

其實在學理上來說，「天生如何」只能視為是老天給予我們的特質，如同筆者會有發胖體質、如同非洲人天生腹肌比亞洲人發達、比如天生的眼睛皮膚顏色等等，就是一種老天給予的特質，但是這並不表示人生必然如何。會有這樣說法的，一是因為早期的命理學概念需要鐵口直斷，並且早期社會相對單純，人生可以決定的事項跟自由不多，因此，能更改的天生特質也不大，再來當然就是因為這個所謂的「老師」要賺你的錢，所以用恐嚇行銷。賺錢沒問題，人吃五穀雜糧總是需要錢，老師也要活下去，但是賺錢取財有道，嚇人就不好。這些必然如何的事情，只能說是你具備了這樣的條件，或者你天生有些個性上的缺失，所以容易如此，並非一定如此。

容易當小三，至少你一定是迷人的，或者你自己願意接受已婚男人、女人的追求，這其實都是自己的問題比較多的。至於剋父剋夫這一類的更好笑，你知道你父親一出世，還是個Baby的時候，高手命理師拿到命盤，就可以知道他大概壽元多少了嗎？那時候你都不知道在哪裡，是要剋什麼剋啊？很多事情真的用簡單的邏輯想一下就會知道了，如果自己不願意思考，那被騙錢也是很正常的，不是嗎？

Q4 我的正緣在哪裡？

正圓只要用圓規畫就會有，這是我們上課的梗，也開玩笑應該要來出「正緣圓規開運招桃花組合」，想來或許生意會不錯。

其實學理上來說，並沒有所謂的正緣，在古代因為儒家教育鼓勵從一而終，所以給予了這種封建禮教下箝制女性的思考邏輯。如果換個時代，也不用太久，在唐朝社會，普遍存有「兄死娶嫂，父死子娶繼母」的觀念，又如中亞穆斯林社會中有多妻的制度習俗，請問他們的正緣該怎麼算呢？

因此，一段好的緣分就算是正緣，這個人跟你有一段值得珍惜的時光，就是因為彼此之間有緣分可以在一起，這個時間可能是三個月、三年，也可能是三十年（然後你就會以為是白頭偕老了）。人與人之間，每個人對於其他人都會有不同的時間緣分，在時間內發生的事情，可能美好可能淒涼，可能甜蜜也可能心碎，這都是人生功課，美好的時光可能讓我們因為對他的懷念，造成下一段戀情的傷害，也可能因為這個人的傷害讓我們更珍惜下一個人，好與壞之間其實沒有絕對的答案，當然也就沒有所謂的正緣了，要正圓買圓規真的會快一點啦。

Q5 ◀ 我是不是會沒有小孩？

無論是哪一種命理，或者是哪一種原因，在學理上頂多可以說你容易不孕，或者是跟子女緣分比較淺，這是因為天生的遺傳以及各種原因所造成，但不會是絕對性的因素，何況在現代科技的加持之下，其實可以解決很多事情，包含人工受孕，以及可以利用手機、電腦跟遠方的子女聯絡。所謂的沒有小孩，可以看得出來，但是並非無法改變。

Q6◀
我是不是沒有貴人？

這也是時常有人問的問題，坦白說，所謂的有貴人，其實就是因為你實在太倒楣，人只有在倒楣的時候，才會感覺身邊人的幫忙是貴人的出現，人在好運的時候，所有人對他的協助，他都會忘記，覺得是自己英明神武。所以沒有貴人的人，其實也表示自己是個可以努力完成夢想的人，相反地，需要貴人幫助的人，其實要先想想自己，是不是有為自己人生做了足夠的努力。人生的困境必然有其存在的原因，今生不解決，來世還是要再做一次同樣的功課，所以與其尋求貴人開外掛解決問題，還是自己努力打怪吧！否則即便貴人出現，你也會感覺不到的，如同前面說的命越算越薄，自己不努力改變，即使貴人出現你也得不到幫助，這等於沒出現，不是嗎？

Q7

我是不是沒有姻緣？

這個問題如同「有沒有小孩」，不可否認地，確實會有命格不如意有婚姻，問題是婚姻一定是好的嗎？有婚姻的人也不見得過得好，這樣的想法還是源自於傳統的儒教文化洗腦，如果真的那麼希望可以結婚，其實路上男人比野狗多，女人比野貓常見，結婚並不難，問題是自己是否準備好了？

Q8◀ 某個老師跟您說的不一樣，誰對？

你覺得誰準就誰對啊～

不一樣的原因有很多啊，可能是因為他準，筆者不準；可能是因為筆者準，他不準；更可能是因為他比較願意順著你的心意說話，而筆者一向以有話直說聞名，所以答案才不同吧（呵呵）。

至於在學理上來說，只要在合理的情況下，別說是紫微斗數各流派不同了，就算是八字跟紫微，算出來的答案也會相同，絕對沒有

那種八字說會破財，紫微說會賺錢的問題，所以會有差異，一定就是哪個人有問題了。（呵呵）

Q9 命理是統計學，當作參考就好，對嗎？

這是最常聽到的說法，通常來自於不思考、直接接受答案的人，或者是自以為聰明很了解預測學的人，其實只要是內行人絕對不會這樣說，因為統計學只會是預測學所取用的一項技術，或者說是資料庫，絕對不會是預測學等於統計學。你可以試試看，把巴菲特的過去三十年投資資料拿來研究一下，看看會不會變成像巴菲特一樣預測精準。

預測學主要是一種推理邏輯，利用合理的邏輯思考，以及適當的、足夠的資料庫，做出合理的推論，如同福爾摩斯在對犯人做出推論，如同氣象學家在推測氣象變化一樣，絕不會只是統計學，更別說命理學中還包含了占卦這個以天人感應論為基礎發展出來的神奇技巧。

Q10◀

我的命宮（這十年）四煞匯集（遇到空劫），是不是乾脆放棄人生比較快，有老師說我這問題，要去修行才可以，是不是呢？

基本上每個人來到人世間，都是來修行的，我們一定是什麼事情沒做好，被擋修了，所以這學年要再來重補修學分，因此沒有人是不用修行的。會這樣跟你說，可能是因為那個師父或老師的觀念，就是覺得每個人都要去修行，可是，你有想過他可能跟每個人都這樣說嗎？

（謎之音：當然也可能是因為他自己最近缺信徒……）

學理上來說，確實有所謂比較具有宗教緣分的人，但是這就像是有些人適合學音樂，有些人適合當運動員，所討論的是他的天生特質，並非是他的必然。人生的選擇權還是在自己身上的，至於那些說你命盤如何如何的人，通常是本身命理程度不太好的人，因為真正的高手（挺胸），是不會有這樣的邏輯與說法的。